外から見た創価学会

農学博士・元愛媛大学教授
村尾行一

Contents

●序　章●

創価学会との出会い

婦人部の躍動

U子さん――

はやいもので、私と創価学会とのお付き合いも約半世紀になります。このたび、あるご縁があって、この四十八年間お付き合いをしてきた私なりの創価学会観を本にすることになったのです。

私と創価学会との最初の出会いは昭和三十（一九五五）年に、私の卒業した大阪の高校の隣といってよいほどの近くに、創価学会の関西本部が移転して来た時のことです。

U子さん――

村尾家は元来東京者ですが、父の仕事の都合で私は大阪の高校を出ました。大阪府立高津《こうづ》高等学校という高校で、最近では民間出身者を校長にしたことで有名になりました。所在地は鶴橋《つるはし》と上本町《うえほんまち》六丁目・通称上六《うえろく》との中間にあります。その高校と隣り合わせになっている大阪貯金局の前の通りに大阪音楽大学がありました。学校の性質上なかなか賑《にぎ》やかでした。

その音楽大学が移転した跡に創価学会の関西本部が移転して来ました。昭和三十（一九五五）年十二月のことです。朝早くから夜遅くまで、それはそれはたくさんの人が出入りしていて、音楽大学時代以上に賑《にぎ》やかでした。

そして、大学の学期休みにたびたび母校を訪れる私の見た範囲内では皆女性でしたので、てっきり創価学会とは婦人団体だと私は思い込んだほどでした。

小さい子どもさん連れの人も多く、なかには、ようやく歩けるくらいの年の子供を二人両手に引き、背中には赤ちゃんを背負い、さらにはお腹《なか》の中にもう一人、ひょとしたらもう二人を懐妊《かいにん》している、といった例さえ決して稀《まれ》ではなかったのです。

今から思えば、小さい時から子供を学会活動に連れて来ていたことが、いかなる団体、ひいては職業なり地域社会なりにとっても、その存続を左右する後継者の育成を自然と行ったことになったわけです。

やや余談ですが、昭和四十四（一九六九）年十一月に創価学会は大阪貯金局を買収して関西センターとし、この建物が昭和五十五（一九八〇）年四月から関西文化会館となって、私の出身校とは塀《へい》一つ隔《へだ》てただけの文字通り隣り合わせでした。そして旧関西本部は昭和四十八（一九七三）年九月に改築されて関西記念館となりました。

U子さん――

そうこうするうちに、私は具体的な創価学会員と出会うことになりました。創価学会的にいえば婦人部員で、さらに彼女を通じて彼女の友人の婦人部の人々と出会うことになりました。なお言えば、私の身近な婦人で学会員になる人が続きました。まるで婦人部に取り囲《かこ》まれたような感じがしました。

つまり創価学会の第一線で活動している人々を知ることになったのです。そのおかげで、世間で誤解されているような創価学会と実際の創価学会とは違うことも知りました。貧しい人もいました。病身の人もいました。まして人前《ひとまえ》で話をすることなど、とてもとても無理だった人が普通でした。そうした、いわば社会的弱者である、そしてややもすると社会や政治を縁遠いものと思っている人々が、いざ創価学会員になると、宿命転換とでもいうのでしょうか、みるみる元気になり、社会貢献をし、政治に主体的に参加し、理路整然と話をするようになるのには驚きました。

だから創価学会とは弱者を強者に変身させる人間革命の場なのだな、とその時思い、今なお思っているのです。

牧口常三郎の山村調査報告書

U子さん――

私は東京大学農学部林学科に進学し、林政学教室という森林・林業・山村を政治や経済や歴史やらの視角から研究する部門に分属《ぶんぞく》しました。昭和三十二（一九五七）年四月のことです。

分属して間もなく、教授室に、それこそゴマンとあった山村・林業実態調査報告書群のなかから、なにげなく取り出した一冊の報告書が、なんとのちに創価学会初代会長となる牧口常三郎が明治四十四（一九一一）年八月に当時の農商務省山林局（現農林水産省林野庁の前身）の委託を受けて大分県津江《つえ》村（上《かみ》・中《なか》・前《まえ》三村）と熊本県小国《おぐに》村（南・北二村）で行った調査の報告書だったのです。

この調査で牧口は、どんな山奥の小さな村でもそれを詳細に調査分析すれば、全国に通じる論理が導き出される、という方法を採《と》っているのです。いうなれば虫瞰《ちゅうかん》（虫の目線で細かく見る）に徹してこそ鳥瞰《ちょうかん》（高い視点から全体を見る）できる、ということです。私は、これこそ林業・山村の研究の正しい方法だ、と即座に思いました。その時の感動は今でも覚えています。

そこで私はこの方法論に従って林業・山村の勉強を始めました。とくに大学院博士課程に進みましてから、京都市の北隣にある山國村《やまぐに》（現・京都府北桑田郡京北町の一部）という文字通りの山村を舞台にして、牧口の方法を真似して研究を行いました。その成果が博士論文です。

U子さん――

ただし報告書を読んだ当時は、牧口が創価学会の初代会長だとは知りませんでした。野《や》にいる素晴らしい篤学《とくがく》の士というだけの認識でした。そして後に彼が学会の創立者であることを知って、「ほぉー」と驚き、創価学会を見る眼が違ってきました。

さらにその後にもっと驚いたことがあります。それは牧口の最初の大作『人生地理学』

を読んだときです。その中で彼はこう書いています。

「広大な大地の状態は、実は猫の額《ひたい》ほどの一小地において、その大要を顕《あらわ》している。だから世界地理に現《あらわ》れる大現象の概略は、ほぼそれを片田舎の一町村において説明することが難《かた》くない。すでに一町村の現象によって郷土の地理を明らかにしたならば、それによって万国の地理を理解することは容易である」（聖教文庫本『人生地理学』1、三九頁）。

「郷土の観察とは卑近で浅薄なものという人もいよう。だから筆者は重ねていう。人間が他日大社会に出《い》で、開かれるであろう智徳の大要は、実に、この小世界に網羅《もうら》し尽くされている。だから、もし郷土において周囲の事物を詳細に観察するならば、他日大世界を了解できる原理は郷土に確定されている、と」（同、四二頁）。

つまり牧口は『人生地理学』で提示した方法論を後年九州の山村において実演したわけです。そしてこの『人生地理学』が出版された年は明治三十六（一九〇三）年。時に牧口は三十二歳でした。そして出版までは時間がかかったわけですから、同書を彼が実際に執筆したのは二十歳代のころです。二十歳代――この若さでこうした立論を行ったとは、牧口常三郎はなんと早熟な天才だったことでしょう。

そして、U子さん――

私はかねがね日本民俗学の父とされている柳田國男《やなぎだくにお》の学説に大きな疑問をもっていました。疑問の中核は柳田民俗学の核心である「常民《じょうみん》」論と「郷土」観です。柳田の「常民」とは世間が誤解しているような庶民一般・民衆一般ではありません。逆に庶民・民衆の多くを排除した人間類型です。ではどんな人物像かというと、これが全然はっきりしないのです。直截《ちょくせつ》にいうと虚構です。また、柳田のいう「郷土」とは「生まれ在所」のことでして、まったく皮相《ひそう》的で狭隘《きょうあい》な概念です。ところが牧口の『人生地理学』はこの柳田民俗学の核心を二つとも完膚《かんぷ》なきまでに破折《はしゃく》していることを知りました。私は勇気百倍になり、だから牧口に対する尊敬の念も幾層倍にもなりました。

したがって、柳田を主要メンバーとする郷土会（主宰・新渡戸稲造《にとべいなぞう》）に牧口が参加し、柳田と親しくなったことから、

「柳田ほどの人物が認めたから牧口は偉いのだ」

などという、創価学会員の中にもままあるそうした評価の仕方には、正直言って腹が立ちます。これは評価の仕方が逆さまです。牧口の方が柳田よりもはるかに偉大なので

す。だから柳田が彼に接近したのだ、と評価すべきなのです。

軍国主義政府の弾圧

U子さん――

また、牧口が戸田城聖第二代会長とともに軍国主義政府によって逮捕《たいほ》され、ついに獄死したことは皆さんご存じの通りですが、では、なぜ軍国主義政府が獄死させるまで牧口を弾圧せざるをえなかったのか、という、彼の反権力的精神態度の質を考えてみました。すると、それは単に伊勢神宮の御札を祀《まつ》ることを拒否した、という程度のものではない、ということがわかりました。

戦前の教育基本法であった教育勅語の根幹は忠君です。だが牧口は、天皇自《みずか》らが国民に向かって自分に対して忠義を尽《つ》くせと言うことは間違っている、と言うのです。天皇が善《よ》い政治を行ってこそ国民の間に自然と忠君の心が醸《かも》しだされるのだと言うのです。

戦前は当時の憲法が明示している通り、天皇は神聖にして侵《おか》す可《べ》からざる存在でした。

しかも人間にして同時に神様でありました。ところが牧口は天皇も凡夫《ぼんぷ》と断定しました。天皇が神様ではなくなった今でも、「天皇も人間」とはいえても、「天皇も凡夫」ということは勇気のいることです。彼が、天皇の替《か》わりに神聖にして侵す可からざるものとしたのは、思想信教の自由等の基本的人権なのです。

戦前は国家のために尽くすことが国民の義務でした。今でも個人の上に国家社会を置く考え方の人が少なくありません。いや、少なくないどころか増えてさえいます。ところが牧口は「国民あっての国家、個人あっての社会」と喝破《かっぱ》しているのです。

このように牧口は戦前の国家の基本的イデオロギーの総体を正面から否定しました。これでは戦前の国家は彼を弾圧するしかなかったのです。

人間の幸福と価値創造

U子さん――

牧口常三郎の価値論、ひいては創価学会の根本は人間を幸福にすることなのです。そして幸福になるということは、利の価値と善の価値と美の価値の三価値を創造することだ、というものです。

ではある物事が価値をもつのはどういう場合かというと、それが人間生命に対してプラスの関係にある場合です。逆に損・悪・醜という利・善・美と正反対の物事は何かというと、それは人間生命にとってマイナスのものだ、と言うのです。

だから価値の創造とは人間の生命力を発展させることだ、と言うのです。したがって逆に、人間の生命力が衰弱していると価値創造力も弱いものになる、とも言うのです。そこで彼は健康ということをとても大事にします。

ところで、人間は一人では生きていられません。国内だけではなく国際的にも、たくさんの人々との縁《えん》のおかげで生かされているのです。この仏法用語の「縁」を世俗の言葉に翻訳《ほんやく》すれば「社会」ともなりましょう。

だから第一に、人と人との縁を切断するだけではなく、そもそも人と人とが殺しあう戦争に反対する平和思想が創価学会の根本にあることも、牧口価値論に由来するのです。

第二に、教育を知育・徳育・体育の三本立てにするという、教育界はもとより政治の世界にまで至る世間一般の常識を根底的に批判して、教育は知育と体育の二本立てであり、そして徳育は知育の一部である、とすることも、この縁・社会というものを重要視するからです。これも牧口創価教育論の極めてユニークな特徴です。

牧口は、衣食住にはじまるところの人間が生きていく上で大切なものは、外国を含めた全社会の人々が分業して、つまり手分けして作り、運んでくれたものなのだ、ということを大変重視します。しかもそのことの実例を極めて具体的に説《と》きます。

言い換《か》えると、社会というものは分業関係である、というのが彼の考えです。そして一人ひとりの個人も、この分業の一端を担《にな》って社会貢献することによって生かされているのであり、この社会貢献こそが善の価値の創造だ、と言うのです。

この分業の一端を担うことによって社会貢献する。その結果、一人ひとりの人間は利益を得ているのだから、利の価値創造は即ち善の価値創造なのです。

さらに物質的なことだけではなく、精神的にも人間という存在は社会の他の人々との交流によって支えられているのです。

そして徳育とは、こうした人間の物心両面での相互援助関係を具体的かつ詳細に児童生徒に教えることが根幹なのだ、と彼は言うのです。だから徳育は知育の一環以外の何物でもありません。しかも生半可《なまはんか》な知育では教えきれません。教える側の教師自身、懸命に勉強しなければならないのです。

牧口の生きていた時代も現在も、相も変わらず「徳育を重視しなければならない、知育偏重《へんちょう》は改めなければならない」と言われています。しかし彼はこうした発想を笑い捨てるのです。

彼は言います。実態は知育不足である。それが知育偏重とおもわれるほど時間と労力を投入しているのは知育の方法がお粗末だからだ、と。

彼の創価教育方法なら、短時間で成績を上げる、しかも成績の悪かった子供がグンと成績を上げる、ということを見事に実証しました。実験した科目は国語作文・書道・算数・地理・工作・音楽でした。

U子さん――

また、人間は自然と結びついてこそ生きていられるのです。自然なしには一瞬たりとも生きてはいられないのです。

このことを昨今、「自然との共生を大切に」、などといいますが、これは間違った認識です。共生とは別々のものが一緒に生活している状態ですから。人間と自然との関係はそんな関係ではありません。仏法でいう二而不二《ににしてふに》の関係なのです。

しかも、あくまでも人間が主人公なのです。仏法的にいうと、あくまでも人間が正報《しょうほう》＝主体、自然は依報《えほう》＝客体・環境であるところの依正不二の関係なのです。まさに日蓮の言う通りです。

「夫十方《それじっぽう》は依報なり・衆生《しゅじょう》は正報なり譬《たと》へば依報は影のごとし正報は体のごとし・身なくば影なし正報なくば依報なし」。ちなみに、この日蓮の言葉は『御書』（創価学会版『日蓮大聖人御書全集』）の一一四〇頁にみえます。

　こういう発想をしないと、本当の意味での環境保全にはなりません。というのも、実は今われわれが〝自然破壊〟と言っている、例えば気候の温暖化やオゾン層の穴あきによる宇宙線の直接照射や生物種の絶滅やらは、四十五億年とも四十六億年ともいわれている地球の歴史の中でたびたび起こったことなのです。それはそれで自然現象の一つなのです。自然は破壊されません。状態が変わるだけです。そして今の地球の状態がわれわれ人類・人間にとって最も好ましい環境なのです。だから今の環境を守らなければならないのです。その環境が人間にとって危険な状態に変化している。しかもそう変化させているのも人間自身だというところに環境保全、裏返していえば環境破壊の問題性の根本があるのです。このように人間を主体におくことが肝要なのです。「人間も自然の一員だ」と言うだけでは問題の解決にはなりません。

U子さん――

　牧口価値論はこのようなものですから、生命を産《う》み、育《はぐく》み、守り、強めることも価値創造になるわけです。したがって家庭生活、衛生、福祉、環境保全、そして平和と人権といった従来の価値論が放り投げてきたこともまた、牧口価値論なら包み込みます。

牧口価値論のもう一つのユニークさは、哲学とか倫理学とか経済原論とかいった、いわば高尚《こうしょう》な次元でのみ論じられるのが普通である価値論を、庶民の生活を題材にして、庶民から見た価値論を、しかも庶民にわかりやすく説《と》いていることです。

例えば美の価値でも、牧口の価値論は生命根本ですから、芸術といった狭い意味での美だけではなく、健康ということも美の価値創造の大事な内容になるのです。

身辺をキレイにしておくこと、清潔にしておくことは公衆衛生、つまり自分を含めた公衆の生命を防衛することですから、これまた美の価値創造であると同時に善の価値創造でもあるのです。

美の価値創造はこうしたものでありますから、それを場所的に拡大すると環境保全・自然保護になります。

こうした善の価値創造でもある美の価値創造の日常生活における典型は料理です。

食事はおいしいという狭い意味での美の価値である上に、健康を維持し、さらには増進することです。すると調理をし、自分以外の人に料理を提供することは美の価値創造である上に、自分以外の人の生命を維持し発展させるわけですから善の価値創造です。

そしてそれを職業としている人の場合は利の価値創造でもあるのですから、つまりは三価値の同時創造なのです。

三代会長の平和行動

U子さん――

だから、創価学会が生命に大打撃を及ぼす戦争に反対するのは至極当然です。それだけではありません。社会一般が、そういう反戦平和思想を共有していない時点で時代を先取りにした発想から提言し、実行することも創価学会の特色です。その具体例はたくさんありますが、典型的な例を牧口・戸田・池田の三代会長の言動から拾《ひろ》ってみましょう。

まずは牧口の場合ですが、日本でいうと江戸時代後半から明治・大正そして昭和の二十年代までという時代は帝国主義が人々の頭と感情を支配していました。帝国主義とはよその国の領土を奪い、よその国を武力的・政治的・経済的に支配することです。この帝国主義が当時は正義でありました。だから人々は自分の国の帝国主義を推進することが愛国だと信じて疑わなかったのです。

ところが彼はそうした発想に真っ向から対立しました。帝国主義を厳しく断罪して、これからの国際競争は人道的競争でなければならない。つまりどれだけ人道的政策を採《と》っているかを競《きそ》うことだ、と主張したのです。

戸田第二代会長の場合は原水爆禁止宣言です。

原水爆・核兵器に対しての日本の世論は真っ二つに割れていました。革新派の考えでは、アメリカの核兵器は悪いがソ連の核兵器は平和を守るもの、でした。反対に保守系は、ソ連の核兵器は悪だがアメリカの核兵器は善だ、というのです。

ところが戸田第二代会長は、この両者を両者とも痛烈に否定して、誰であろうとも、どの国であろうとも核兵器を使った者は悪魔だ、と断罪したのです。

第三代の会長である池田大作名誉会長の場合、代表的なものは日中国交正常化提言です。日中が公式に国交正常化を宣言したのは昭和四十七（一九七二）年のことですが、その四年も前の昭和四十三（一九六八）年に名誉会長はこの提言を公《おおやけ》にしたのです。

当時、中国は共産主義国家だから悪玉だ、ということが、日本では政界から世論にいたるまでの通念でした。だから名誉会長がこう提言することは、オーバーではなく本当に生命の危険をおかしての勇気ある行動だったのです。例えば右翼の襲撃をうける危険性が大いにあったのです。

日本が中国と国交回復する前にアメリカが米中国交正常化に踏み切っています。ですから、池田提言の頃よりずっと安心だったのですが、それでさえ時の日本首相田中角栄は命の心配をしたほどです。この一点からしても、池田名誉会長の勇気は譬《たと》えようもなく立派なものであったことがわかります。

韓国との関係もそうでした。日本が朝鮮半島を植民地にしていた時代、日本は政府も国民も朝鮮半島の人々に対し、それはそれは酷《むご》いことをしました。

当時の日本政府は朝鮮半島の人々を何万人も大量に日本に拉致、つまり強制連行して強制労働をさせていたのです。そして日本人の中には今もって朝鮮半島人を馬鹿にしている人が少なくありません。だから朝鮮半島の人々が日本に対してよい感情をもてないのも当然のことです。

ところが池田名誉会長は日本の数々の悪行を心底《しんそこ》から謝罪しただけではなく、朝鮮半島こそ日本の文化の、ひいては産業・政治の恩人なのだと明言し続けています。

名誉会長の精神態度は、「日韓」といわずに「韓日」といつも言っていることに象徴されます。外交上の慣例として、外国の国名と自国の国名を併記する時は必ず自国名を先にします。例えば日本側からは「日中友好」といい、中国側からは「中日友好」というのです。

ところが彼は決して「日韓」とは言わず常に「韓日」と言います。この外交慣例を破った彼の精神が韓国国民に通じないわけはありません。勲章や名誉博士号や名誉市民といった彼に対する顕彰《けんしょう》が相次いで韓国から授与されていることは彼のこうした思想と行動に対する韓国の喜びの表《あらわ》れです。

U子さん――

日中・日韓の友好親善での池田名誉会長の活躍が典型的に示しているように、彼は、民間同士の交流が一番必要なのは、例えば日米間のように国家同士が友好関係にある場合ではなくて、国家同士が仲の悪い国との友好親善である、という真《まこと》に正しい、しかしなかなかやりにくいことを信念としていることです。

しかも名誉会長は、日本と外国との友好親善に力を注いでいるだけではありません。外国同士の緊張緩和《かんわ》でも素晴らしい実績をあげています。その典型的な例が旧ソ連と中国との緊張緩和です。

ソ連と中国は同じ社会主義国同士でありながら仲が大層悪く、国境で武力衝突をたびたびひき起こすほどでした。

そこで池田名誉会長は、中国を訪問して、中ソ関係についての中国首脳の真意を確認した後、モスクワで当時のソ連の首相のコスイギンと会い、「首相、中国はソ連が中国を侵略するのではないか、と心配しています。首相、ソ連は本当に中国に侵攻するつもりですか」と率直《そっちょく》に問いただしました。すると、コスイギン首相は「そんな気持ちは全然ない」と答えたので、「それでは、このことを中国政府に伝えてよいですか」と彼がさらに尋《たず》ねると、コスイギン首相は「よろしいです」と答えました。

それがきっかけとなって、中ソ間の緊張関係が緩和しはじめたのです。

コスイギン首相はこの会談の後、「これまで色々な日本人と会ったが、あんな日本人は初めてだ。イケダを大事にしなければならない」と関係者に言ったそうです。

異《こと》なったイデオロギー同士の緊張緩和・友好交流の推進は、何も今お話しした政治の次元だけではなく、宗教・文明間においても彼は大きな足跡を残しました。

数十年前に、名誉会長はキリスト教の総本山のバチカンを訪問しましたが、その時すでに、キリスト教、ユダヤ教とともにイスラム教との対話が可能であること、そして対話を重ねていくとイスラム教と創価学会思想との共通点が発見され、さらにはイスラム世界の人々の中にも創価学会思想に共鳴する者が出てくるだろう、と明言しています。

こうした異教、つまり異なった宗教に対する包容力豊かな池田氏の思想と行動を謗法《ほうぼう》だという愚《おろ》か者が当時からいました。ましてや無神論のマルクス主義の国である中国やソ連に「なぜ行くのか」と詰《なじ》った阿呆《あほう》もおりました。彼は「そこに人間がいるから、私は行くのだ」と一言のもとに切り返しました。

イスラム教との対話の必要性と可能性をはるか以前から確信している池田名誉会長ですから、平成十三（二〇〇一）年九月十一日に起こったアメリカでの同時多発テロ事件の直後に、誰よりも早く「互いに、相手を力で屈服させようとして『目には目を』『歯には歯を』『死には死を』と報復合戦を繰り返していくならば、永遠に平和の日は来ない」「対話を、対話を、何があろうと対話を。『力にものを言わせる』時代を終わらせなければ、二十一世紀もまた『戦争の世紀』になってしまう」と、事件直後の九月十六日付と二十三日付の聖教新聞で提言したのです。

これを一宗教家の空想論と片づけることは簡単です。しかし一見、空想論とみえるこの提言こそが、最も現実的かつ正しい解決法であることを世界の人々は気がつきだしています。事件の直後こそアメリカのブッシュ政権の乱暴な武力政策（アフガニスタン侵攻）に同調した大半のヨーロッパ諸国も、イラク戦争が始まってからというものは、ブッシュと明確に距離を置きはじめました。ブッシュ政権、それと同調したイギリスのブレア政権は現地のイラクにおいてはもちろんのこと、国際社会においても、当の国内世論においても苦境に陥《おちい》っています。

阪神・淡路大震災と救援活動

U子さん――

こうした三代会長の弟子である創価学会員が、人の命を大切にする運動を起こすことは当然です。その国内版の典型例が、平成七（一九九五）年一月十七日早朝に起きたあの阪神・淡路大震災における救援活動です。

あの日あの朝、地震が起こるとすぐ、当時関西長だった西口良三総関西長は、学会本部と救援活動の打ち合わせを行いました。そして結論がでた時、素晴らしいことに実は自分自身が被災者である地元学会員を先頭にした関西創価学会員、そして四国などの全国の創価学会員は誰かに命令されたわけでもなく自発的に、しかも創意工夫をこらして救援活動に立ち上がっていたのです。

現地では地震で家が倒れたものですから、皆外に出てきました。その人々を見て、学会員は、「あれ、何々はんの家のおばあちゃんがおらへん。あのおばぁちゃんなら、あこに寝てはるはずや」というので、その部屋の直上の屋根を剝がして、下敷きになっているおばあちゃんを助け出しました。

こうしたことができたのは、一人を大切にする学会魂からだということはもちろんですが、それに加えて、なんといっても「あの家には誰と誰が住んでいて、誰はどこで寝ている」ということまで知り合っている、という常日ごろの濃密な交流を地域社会で学会員は行っているからです。

また、道路が大渋滞しましたが、バイクなら自動車の渋滞を縫って行ける、ということで青年部員による約二千五百台のバイク部隊が大きな効果をあげました。

もうひとつ言えば、会館を被災者に開放した学会と、寺の建物はもちろんのこと敷地内にも被災者を入れなかった〝日顕宗〟(日蓮正宗)との違いです。しかも学会員は、一般の人々を会館の建物内に入れて、自分たちは野宿した例さえありました。兵庫池田文化会館など九つの会館を被災者救護施設として学会は即座に提供しました。創価学会と〝日顕宗〟のどちらが宗教として善であり、どちらが悪であるかは、なにも創価学会機関紙の聖教新聞や創価新報など読まなくても、このことだけではっきりしました。

素晴らしい友人葬

U子さん――

私は聖教新聞に原稿を頼まれることがあります。私の原稿が掲載された時の月末に、集金に来られた配達の婦人が必ず「書いてくださってありがとうございます」と礼を言われます。まるで自分が聖教新聞の編集長のような、さらには創価学会の会長のような気持ちで日夜活動されているからでしょう。

このように第一線の人々が組織全体と一体感をもっている組織は、官僚主義化しません。ましてや、そこに硬直化や形骸化が起こるはずがありません。こうした組織こそ理想の組織です。

こうしたことから、私は創価学会には僧侶という出家した特別な宗教専業家などいなくてもよいと考えていました。いや、いなくてもよいどころか、日顕宗的僧侶などいてはならない、と思うようになりました。昭和五十（一九七五）年ごろからです。

私は日顕宗の僧侶の言動を直接見聞きする機会があります。彼らの行状《ぎょうじょう》は聖教新聞や創価新報などで報じられている通りですが、これらもまだ報道していないことがあります。それは葬式等の法事に来る僧侶の身分がその家の社会的・経済的地位に見事に対応するのです。偉い人・金持ちの人の場合に来る僧侶は階級の高い僧侶、庶民のところに来る僧侶は低い僧侶なのです。

私の親戚《しんせき》の創価学会員は貧乏人が多いのです。だから来る僧侶はほんの小坊主です。南無妙法蓮華経の題目が朗々《ろうろう》とは唱えられません。ましてお経を読むとなるとすらすらいきません。参列者の俗人たちの堂々とした朗々たる唱題読経《しょうだいどきょう》のおかげで、口をパクパクしているだけで恥をかかなくてすんでいるだけです。だからそれが終わって、さて説教というか法話とかいう段になると、彼らがいかに教学を怠《おこた》っているかが露呈《ろてい》します。そもそも世の中のことも人の心や気持ちも全然わかっていないことが歴然とします。しかも話自体が支離滅裂です。その後に友人代表として創価学会の支部長なり地区部長なりが話さなければ、どだい法事の体をなしません。

こうした僧侶のために、多くの人は経済的に決して楽ではない学会員が爪《つめ》に火を灯《とも》すようにして供養《くよう》を出していることが理不尽でなりませんでした。そうした供養に寄生するだけで、しかもそれを当然だとして、学会員を下僕のように見下し、その上贅沢三昧《ぜいたくざんまい》に耽《ふけ》っていることが断じて許せなくなったのです。

おまけに葬儀として最高の友人葬まで確立したのですから、ますますもって僧侶など、存在する余地がないのです。

私は僧侶抜《ぬ》きの友人葬が行われだした最初のころに参列する機会がありました。葬式を素晴らしいというのは語弊《ごへい》がありますが、まことに素晴らしいものでした。亡くなった方の冥福《めいふく》を祈り、その方の人徳と社会貢献をたたえ、残された遺族を慰《なぐさ》め、遺族を物心両面で支えていくことを約束するという真心《まごころ》が見事に発露《はつろ》されているのです。

普通の葬式は逆のことが少なくありません。遺族は慰めてもらうどころか、遺族が一番気をつかいます。したり顔の親戚や知人が「葬式というものはこうすべきだ」とか「そうすべきではない」とか、さらにはお清《きよ》めの料理がどうの、酒の出し方がどうのと、いろいろ文句をつけます。

ついでに申しておきますと、葬式の費用も普通とは桁違《けたちが》いに安価です。導師に対しても謝金はいりません。「創価学会は香典を奪う」というアラレもない噂《うわさ》がいかに嘘《うそ》かがはっきりします。

私はすっかり感激しました。私の場合も友人葬でやってもらいたいものだと思いました。そこで後日、四国総合長だった久米誠一郎さんと懇談《こんだん》する機会がありましたので、「学会員でなくてもやってもらえるか」とお尋《たず》ねしました。もしだめなら死ぬ直前に入会しよう、と思っていたところ、久米さんは「学会員でなくてもよい」といわれたので、「それじゃ、込むといけないから、今から予約しておく」と申し上げました。

参列した友人葬の話に戻りますと、光栄にも弔辞《ちょうじ》を最初に申し上げることになりました。そして弔辞を読みながら「弔辞の最後の言葉は何にしよう」と考えました。「合掌《がっしょう》」も月並みだ。終わりというのも変だ。そうだ、亡くなった方が生前一番お好きだった言葉にしよう」と思ったのです。その言葉とは「南無妙法蓮華経」です。ただし、あくまで静かに、しかも一回だけ申し上げることにしたのですが、ところが、いざ口にする段になりますと、思わず大きな声で唱《とな》えてしまいました。そして、この言葉は一回だけではリズム感からして収まりが悪いのです。だから結局、三回唱えました。

魂の産直

U子さん——

いわゆる宗門問題（日蓮正宗からの攻撃）だけでなく、学会はさまざまな方角から攻撃を受けてきました。しかし学会は屈するどころか逆に大発展しました。国内だけではなく世界的にも百八十六カ国・地域にまで広がっているのです。

学会がこのように発展できた上で、決定的な効果を発揮したのがいわゆる本部幹部会の衛星中継によるテレビ放映です。それまでは一般会員は直接池田名誉会長の話を聞くことがほとんどありませんでした。役員が代表して聞いてきたのを又聞《またぎ》きするだけです。しかも全役員が直接彼の話を聞くわけではない。本部幹部会なのですから、参加する人は限られています。

又聞きというものは、本人がいかに忠実に伝言したつもりでも、話が曲がって伝わります。だから伝言の回数が多くなるほど、真実とはまるで違った話になるのです。これは心理学が実証した法則です。ましてや腹黒い役員がいて、意識的に話を自分の都合のよいように曲げて伝えたりすると、大変なことになります。

ところが衛星中継は違います。名誉会長の話が直接聞けるだけではなく、身振り手振り、顔の表情まで伝わります。

だから私は衛星中継のことを「魂《たましい》の産直《さんちょく》」、つまり魂の産地直送だと言っているのです。衛星中継のおかげで、彼の真意が全学会員に正確に伝わりました。そして急速に反転攻勢に立ち上がることができたのです。だからこれを考案した池田名誉会長の発想は素晴らしい、とほとほと感心しています。

学会の会合に出ると元気になる

U子さん――

私は聖教文化講演会などで、さまざまな創価学会の会合によく呼ばれて講演をしてきています。すると心理的に元気になるだけではなく、肉体的にも元気になるのです。

その例はそれこそゴマンとあるのですから、書き出せばきりがありません。そこで今日は最も壮絶《そうぜつ》な例を一つだけお話しします。

沖縄で講演することになったのですが、その数週間前から体調を崩し、沖縄行きの日が十日ほど後に迫《せま》ったころには、食物はおろか飲み物も、水と茶しかうけつけなくなってしまいました。ジュースも牛乳もだめでした。

だから色々の用件は皆キャンセルいたしました。しかし創価学会の行事だけはキャンセルすることが申し訳ないという気持ちでいるものですから、ただただ、(困ったなぁ、困ったなぁ)と思うばかりでした。

ところが沖縄講演日の二日前になると、起き上がれるようになり、牛乳ぐらいは飲めるようになりましたので、行って講演することだけはできそうだ、とホッとしました。しかし行っても食事はまだ無理だと思っていました。

いざ沖縄行きの日・講演会の前日になりました。那覇の空港には地元学会の役員が出迎えに来られました。そこで私はこう申し上げました。

「直接ホテルに連れて行ってくだされば、それで結構です。後はほっといてください」

「何を仰《おっしゃ》います。ホテルの中ではろくな食事をする所がありません。その上、ホテルの周囲には、何もないのです」

仕方なくついていくと、行った先はステーキハウスでした。そして沖縄特産のオリオンビールまで注文してくださったのです。

（ままよっ）

と件《くだん》のビールを飲むと、なんと、飲めたではありませんか。しかもおいしく飲めたのです。そしてステーキがやってきました。おそるおそる食べてみると、これまたなんと、おいしく食べられたではありませんか。

そこで、

（ビールはアルコールとしては弱いものだし、塩胡椒《こしょう》だけのステーキも食物としては淡白なものだから、飲食できたのだろう）

と自分を納得させつつも、この後自分の体にどういう症状がでるか、不安いっぱいでその夜は床に就きました。

翌日、つまり講演会当日の朝、目を覚ますと、体調は快調なのです。

（これなら講演ができる）

とひと安心しました。

そして実際講演をやってみると普通にやれました。しかも体調は講演前よりも講演中の方が、講演中よりも講演後の方がはるかに快調なのです。

講演後、沖縄創価学会の首脳部と夕食会を持ちました。出てきた料理はかの有名な豚を主体とする濃厚な琉球料理。出てきた酒はこれまたアルコール度数の高いことで有名な泡盛《あわもり》。しかし、心配は無用。私は快食し快飲しました。かくして楽しい宴《うたげ》はいつ果てるともなく続いたのです。

＊　＊　＊

U子さん――

こうした、創価学会とのお付き合いを通して得ました私なりの創価学会像を、以下、もう少し詳しく書いていくことにします。

なお、牧口の著作からの引用に際しては極力現代文に改めました。長い文章は改行した場合もあります。振り仮名も適宜《てきぎ》つけました。彼の著作は昔の本なので文体が古風なため、今の人の多くには理解しにくいのではないかと思ったからです。その他の人々の引用でも、振り仮名を加減したりしました。〔　〕は私が補った文言です。

●第一章●

価値とはイノチなのだ——牧口価値論の要諦

三十四の「非」――戸田城聖、獄中の悟達

U子さん――

牧口常三郎の価値論を勉強していた時のことです。牧口の価値論がどれほど重要かは申すまでもありません。なにせあなたたちの団体は創価学会、つまり「価値を創造する学会」なのですし、第一、牧口自身が、

「私はやはり在家の形で日蓮正宗の信仰理念に価値論を採り入れたところに私の価値があるわけで、ここに創価教育学会の特異性があるのであります」（第三文明社刊『牧口常三郎全集』〈以下『全集』と略す〉第十巻、一八八頁）。

と明言しているのです。

では、ある物事《ものごと》が価値がある、という、その価値を価値たらしめているものとは何か。言い換《か》えれば、なにゆえある物事に価値がある、と言えるのか。愚鈍《ぐどん》な私は、自分自身で立てたこの設問の前に立ち止まって、前へ進めなくなったのです。

こうして悩んでいた時、ふと池田大作創価学会名誉会長の『人間革命』第四巻（聖教新聞社刊）を読みだしました。するとこの巻の初めのほうに、戸田城聖第二代会長が牧口初代会長とともに、当時の特高《とっこう》（特別高等警察）という政治警察に治安《ちあん》維持《いじ》法違反・刑法の不敬罪《ふけいざい》違反容疑《ようぎ》で逮捕《たいほ》され、拘置所《こうちしょ》に拘禁《こうきん》されていながらも、平然と仏法を勉強していることが書かれてありました。

その時、戸田第二代会長が無量義経《むりょうぎきょう》の徳行品《とくぎょうほん》第一に、

「其《そ》の身《み》は有《う》に非《あら》ず亦《ま》た無《む》に非ず
因《いん》に非ず縁《えん》に非ず自他《じた》に非ず
方《ほう》に非ず円《えん》に非ず短長《たんぢょう》に非ず
出《しゅつ》に非ず没《もつ》に非ず生滅《しょうめつ》に非ず
造《ぞう》に非ず起《き》に非ず為作《いさ》に非ず
坐《ざ》に非ず臥《が》に非ず行住《ぎょうじゅう》に非ず
動《どう》に非ず転《てん》に非ず閑静《げんじょう》に非ず
進《しん》に非ず退《たい》に非ず安危《あんき》に非ず

是《ぜ》に非ず非《ひ》に非ず得失《とくしつ》に非ず
彼《ひ》に非ず此《し》に非ず去来《こらい》に非ず
青《しょう》に非ず黄《おう》に非ず赤白《しゃくびゃく》に非ず
紅《く》に非ず紫種種《ししゅじゅ》の色《しき》に非ず」（創価学会編『妙法蓮華経並開結』、一二一〜一二三頁）

と三十四回も「非《あら》ず」と否定されている、なお言えば「非《ひ》」でもないという、その「其《そ》の身《み》」とは何かを苦悩し、苦悩の果てに、ついに悟達《ごたつ》して、

「――この『其の身』とは、まさしく『生命』のことではないか。知ってみれば、なんの不可解なことがあるものか。仏とは生命のことなんだ！

彼は立ちあがった。独房《どくぼう》の寒さも忘れ去っていた。時間もわからなかった。ただ、太い息を吐き、頬《ほお》を紅潮《こうちょう》させ、眼は輝き、底しれぬ喜悦《きえつ》にむせびながら、動きだしたのであった」（前掲『人間革命』第四巻、一四頁）。

U子さん――

私はこの一節を読んだ途端《とたん》、

（そうだ、価値とはイノチなのだ！）

と了解しました。知ってみれば、なんの不可解なこともありません。しかも明示していない無量義経の場合と違って、牧口価値論には明確にそう書かれているのです。なのに悩んだ自分自身の愚《おろ》かさを自嘲《じちょう》しました。

「人生は畢竟《ひっきょう》価値創造の過程である」（聖教文庫本『創価教育学体系』Ⅱ、一八頁）。

「幸福な生活とは畢竟価値を遺憾《いかん》なく獲得し実現した生活のことである」（同、二〇頁）。

「人生の目的である生命の保全に対して、有利と判断されるおのおのの種類・程度に則して善といい、利といい、美といい、またこれを総括《そうかつ》して有価値といい、価値多し、あるいは価値少なしという」（同、一二九頁）。

そして価値をこのようなものと理解すると、善も利も美も、従来考えられてきたものとは全く異質なものになってくることがわかりました。

「真」は価値ではない――牧口常三郎とマックス・ウェーバー

U子さん――

価値を生命との関係でとらえる牧口価値論の特色を説《と》く前に、もう一つの牧口価値論の特色をみてみましょう。

それは「真（理）」を価値から放逐《ほうちく》したことです。一般の価値論では価値とは真・善・美の三本立てですが、牧口は真理は価値ではないとし、それと入れ替《か》えて利を価値としたのです。今日においてさえ利とは悪徳の臭気《しゅうき》を放《はな》つものと思われているのに、それを善や美と並ぶ価値の一つにしていることは大いに驚くべきことです。

彼が真は価値ではない、とする根拠はいたって明解でして、真は不変なものであるけれども、価値は時代により人により、また同じ人でも場合によっては変わるもの、だからです。また、真は創造できないけれども、価値は創造できるもの、だからです。なお言えば真は人間の生命に関係があろうとなかろうと存在しますが、価値はまさに人間の生命との関係においてだけとらえられるものだからです。

「真善美という系列または鼎足《ていそく》の関係に三者が一般に理解されているようであるけれども、真と善美とは同列に対立できない全く無関係、没交渉《ぼっこうしょう》の概念《がいねん》である」（前掲『創価教育学体系』Ⅱ、三六頁）。

「真理は人にも時代にも環境にも関係なく不変であるが、価値は人によってのみ成立することは言うまでもない」（同、一五頁）。

「価値は真理のように一定不変性というわけにはいかない。人により時により場合によって変化する」（同、四五頁）。

「真理は創造することはできない。ただ自然にあるがままを我々が見いだすにとどまったものである。これに反して価値は創造できる。」（同、一五）。

「真理を見いだそうとする者は森羅万象《しんらばんしょう》といわれる千差万別《せんさばんべつ》の対象の中から、一般平等の共通相《そう》・普遍《ふへん》性を把握《はあく》せんとするが、価値を見いだそうとする者は……他と区別されるそれ自体の個別相・特殊性が社会および個人の生命にいかなる関係をもつかという点を明らかにしようとする」（同、一二三頁）。

「かくしてありのままの実在を表現したものが真または真理であり、対象と人間との関係性を表現したものが価値である。価値は対象と人生との情的関係性である」（同上）。

言われてみればもっとも至極《しごく》のことですが、コロンブスの卵のようなもので、牧口に言われるまでは真を価値に混同してきているのが一般です。いや、彼に言われてもいまだに混同しているのが一般なのでしょう。

また、牧口の教育論、ひいては思想をプラグマチズム（実用主義）の代表的理論家であり教育学者であるジョン・デューイ（一八五九～一九五二）のそれと同類とみなす人が結構《けっこう》いますが、それは間違いです。彼は、例えば、

「真理を論理的の価値となして、その普遍的妥当性の多いものほど、価値が高いと考えたプラグマチズムにおいては、真理と価値とを同様同質とみなしたのである」（同、三八頁）

と、プラグマチズムが自分の価値論と根本的に違うことを明言しています。

とはいえ牧口常三郎は完全に孤独《こどく》ではありません。ドイツが生んだ近代社会科学の巨峰マックス・ウェーバー（一八六四～一九二〇）も真理の探究《たんきゅう》に価値判断を持ち込んで

はいけない、と力説しました。彼と牧口との違いは、いうなれば富士山を静岡県側から登るのと山梨県側から登るのとの違いでしかありません。

彼のこの立論は「没《ぼつ》価値論」――直訳すると「価値からの解放」――と呼ばれて、世界的に著名です。だから日本の学界でもウェーバーは極めて有名です。信奉者もたくさんいます。この有名性の有無が牧口とウェーバーとの決定的な相違なのです。私はなぜ日本の学界、さらには社会一般で牧口が無名なのか、全然理解ができないのです。なお言えば、ではウェーバーは価値についてどう論じているかというと、それはありません。まさに没価値論です。ところが牧口には価値論がある。いや、ある、というよりも価値論が根本なのです。このことから言っても牧口は世界的にも高名であってよいはずです。

牧口常三郎の負の価値の発見

U子さん――

このような牧口常三郎の価値論に従えば、人間のイノチ即ち生命・生存・生活にとってプラスに作用する物事が価値なのですから、彼は、その半面としてイノチにとってマイナスに作用する〝価値〟つまり反価値または負《ふ》価値という物事がある、と言うのです。これは全く牧口の独創《どくそう》でして、数学でいう負数《ふすう》の発見に相当しましょう。従来一般の価値論は（有）価値と無価値との二本立てでしかありませんでした。ついでに言えば無価値とは人間のイノチにとって無作用の物事のことと彼は言うのです。このようにイノチに対する作用という牧口式基準に立てば、（正ないし有）価値・無価値・反価値という三価値が整然と一列に並ぶのです。

「生命の維持保全に対して有害と認められる物事の種類・程度に応じて、悪といい、害といい、醜《しゅう》という。価値という概念《がいねん》は従来一般にはこの生命に対する否定的な方面までには思考が及ばないようであるが、しかし生命に対して有益という肯定的な方面を有価値とするならば、有害という方面は無価値というよりは、むしろ反価値という方が正当であろう。

……〔中略〕……

美とも善とも利とも呼ぶことができない価値ではあるが、あえて価値でないとは言えない。なぜならば、その存在が人間に対して時に大きい関係をもつからである。すなわち、強いにせよ、弱いにせよ、意識するにせよ、無意識にせよ、生命の保全伸長《しんちょう》を害する以上は人間に無関係とは言えまい。すでに関係がある以上は当然評価の対象となりえるはずである。

こうして評価されたものは無価値とは言えないのであるから、反価値としか呼びようがない。数学上の概念の正数と負数の対立が正価値と反価値との対立関係を説明しているようである」（前掲『創価教育学体系』Ⅱ、一二九〜一三一頁）。

利の価値が基礎

U子さん――

江戸時代のような封建時代はもちろんのこと、近代的資本主義の今日でも、利は善と対立するもの、という観念がわれわれの倫理観《りんり》を支配しています。

ところが、江戸時代以来の儒教的《じゅきょう》倫理観が今以上に優勢だった戦前に――『創価教育学体系』の発刊開始は昭和五（一九三〇）年十一月十八日――、牧口常三郎は「善と利はその本質に大差ない」（前掲『創価教育学体系』Ⅱ、三二頁）と明言しているのです。

なお言うと、利の価値こそ諸価値の基礎をなす価値なのです。これは牧口価値論が生命根本としていることからの論理必然的な結論です。

「利的価値はその他の価値の説明の基礎をなすものである」（同、一五九頁）。なぜなら「人間共通の本能である生存欲が絶対的価値として、その他の相対的価値を判断する基本となるもので、一切の価値は人類ないし生物に共通する生存本能に基づいて派生したものである」（同、一六五頁）。

私たちは衣食住を根幹とする生活物資を手に入れなければなりません。それは働いて稼《かせ》いだ利を対価《たいか》として支払ってこそ入手できるのです。完全なる自給自足生活などは今の世の中では絵空事《えそらごと》です。対価となる利を稼がずに生活している者は寄生生活者か収奪者でしかありません。私が〝日顕宗〟の僧侶を忌《い》み嫌《きら》う動機の基本もここにあります。

U子さん――

もちろん利の追求は下手をすると悪徳に堕《だ》する危険性はあります。だから牧口はこう言うのです。

「日本人は表面では利をはばかっているが、その実、営利《えいり》に決して無頓着《むとんちゃく》ではない。だれも無頓着ではありえないのが当然であって、利をはばかることが無理である。……営利が悪いのではなく、仁義を後にするから悪いのである。……営利を排斥《はいせき》するのではなく、仁義の尊重を納得《なっとく》させるより善《よ》いことはない」（同、二五三頁）。

善とは何だ——個人と公共は二而不二

U子さん——

ということは、善というものの理解が牧口の場合、一般のそれと異質だ、ということになります。ただし、異質、といってもいわゆる非常識なものではなく、

（言われてみれば、もっともだ）

と容易に納得できるよい意味での常識的な理解なのです。

彼は、「善」という概念《がいねん》を端的《たんてき》にこう規定します。

「公益を善という」（前掲『創価教育学体系』Ⅱ、一六四頁）。

では「公」とはなにか。「公とは一身一家の集団で社会という団結を形成するものである」（同上）。

「善悪は各個人が要素となって統一されている社会の生存の手段である人間の有意《ゆうい》的行為を評価した価値である」（同、三三三頁）。

だから「善は社会において始めて確立されているものである」(同、一七三頁)。

U子さん——

こうした牧口の善の価値の立論から見えてくるのは、一般に対立するものと思われてきている「個人」と「公共(益)」とを二而不二《ににふに》(二つでありながら二つでない)と、統一的に認識していることです。だから「滅私奉公《めっしほうこう》」論ほど彼の善の価値論と対立するものはありません。当時はもちろんのこと、今でさえ「滅私奉公」をよいこととする人が大勢です。だから彼の思想は実に独創的であり、と同時に実に理解しやすいものであります。

彼によれば「公」は「社会」になるのですが、この社会と個人との関係を次のようにこれまた端的《たんてき》に解説しています。

「社会と個人とは抽象概念《ちゅうしょうがいねん》では分離できても、現実には一体である」(前掲『創価教育学体系』I、二一四頁)。

「魚が水を離れては生活できないように、人間は社会という結合体を離れては一刻も生存することができない」(同III、八一頁)。

つまり彼にとって「公」＝「社会」とは人間同士の連帯関係のことなのです。

したがって彼は教育目的論において、「すなわち国民あっての国家であり、個人あっての社会である」（同I、一三八頁）と、教育の第一義的な目的は「忠孝」の念や「忠君愛国」の心を児童生徒の頭に注入することであった戦前に、それとは正反対の教育目的論を提唱《ていしょう》したのです。当時にあって、なんと驚くべきことではありませんか。いや、当時ばかりではありません。今日においてすら、彼のような考えを公言することは通念をはるかに超えていることは多言を要しません。

こうした牧口教育論を発展させたものが、第四章で紹介する池田大作創価学会名誉会長の『教育提言』なのです。

善の価値創造の典型が創価学会の阪神・淡路大震災救援活動

U子さん――
創価学会の根本は生命哲学であり、社会を人間の連帯関係とみる社会観であることが如実《にょじつ》に示されたのが、言い換《か》えれば善の価値創造の典型が、平成七（一九九五）年一月十七日の早朝に発生した、あの阪神・淡路大震災における創価学会の救援活動です。死者数六千三百人、負傷者数四万三千人、全・半壊家屋二十万九千軒という大災害でした。

しかし、U子さん――

この大災害も実は人災であった部分が少なくありません。端的に言って国や地元自治体の無為無策《むいむさく》、つまり行《おこな》うべき者が行うべきことを行わなかった無責任という、牧口価値論からすれば、彼らの大悪のせいで死者・負傷者、焼失した家屋が自然現象のせい以上に多く出たのだ、と言わざるをえません。とりわけ当時の自民党と社会党（現・社会民主党）の野合《やごう》政権である村山富市（社会党党首）政府の責任＝無責任ぶりは、どれほど糾弾《きゅうだん》してもしきれません。その具体例の主なものをいくつかあげてみましょう。

（一）プロ野球の阪神球団の応援歌が「六甲おろし」であることが象徴しているように、神戸とその隣接地は風の強いところです。甲子園球場（兵庫県西宮市所在）でフライが風のせいでホームランになったりならなかったりします。凡フライが風に災《わざわ》いされてエラーを誘《さそ》ったりします。ところがあの日あの朝は幸いにして風がなかったのです。テレビの映像で、火事の煙が風に流されず真っすぐ上に登っていることが、それを明白に証言してくれています。地震直後に被災地全域が一斉《いっせい》に火事になったわけではなりません。だから当局が地震直後から初期消火に立ち上がっておれば、死者や負傷者も被災家屋もあれほどには出なかったのです。地震で水道が破壊されても、被災地の大部分は海辺に位置していました。だから消防のポンプ車やヘリコプター、さらには飛行機で海水をかければ消火できました。なんといっても延焼をくいとめることができました。

当局はそれをしなかったのです。そのために、みすみす多くの家屋が焼けました。いや、それよりなによりも多くの人が生きながらに焼き殺されたのです。痛みの程度を示す指数に火傷《やけど》の程度を用いるほど、焼け死ぬことは最も残酷《ざんこく》な死に方です。

(二) 消火活動、救援活動を阻害《そがい》した要因として交通渋滞《じゅうたい》をあげることができます。しかし、あの地震は交通が大変閑散《かんさん》としていた早朝に起きました。だから警察が交通規制をいち早く実施していれば、必要な交通は円滑に行えたはずであり、そうなれば消防車両・救急車両・救援物資輸送車両の通行は阻害されなかったはずです。

当局はそれをしなかったのです。だから、これらの運行が大変阻害され、その分だけ被害は増大しました。

（三）そこそこの船舶《せんぱく》は給食・排泄《はいせつ》・就寝《しゅうしん》といった生活が完結して営《いとな》める装置です。とくに軍艦《ぐんかん》となると医療施設も備《そな》わっています。だから被災者の避難収容設備として、海上自衛隊・海上保安庁の艦船が真っ先に活用されてよいのです。そしてフェリーや貨客船といった民間の船舶も借り上げればよいのです。さらには米国の第七艦隊の空母《くうぼ》や揚陸艦《ようりくかん》といった人員収容能力がずば抜けている軍艦の提供を要請すればよいのです。日本はなにもベトナム戦争、アフガン戦争、イラク戦争といった米国の対外侵攻の支援をするばかりが能ではありません。米国軍も日本のために役立ってよいのです。とりわけ大震災救援といった人道的支援のための出動を要請するのになんの遠慮がいりましょう。

私がこういうことを言うのは、災害救助にとって最も大事なことは初期の救出、初期の治療、初期の避難施設と救援物資の提供を柱とする初動活動だからです。被災者を野ざらしに放置しないこと、諸事不便な公民館に長く収容しないことです。とにもかくにも臨海《りんかい》地帯にあった被災地にとって船舶はまことに具合のよい装置です。

ところが当局はこうしたことを全然しませんでした。だから例えば負傷者を含めた被災者は惨状《さんじょう》のなかに野ざらしになったまましばらく放置されていたのです。即座に会館を避難施設として提供し、いち早く船舶を活用したのは創価学会ぐらいのものです。

（四）最後に村山首相の人間的温かみのなさですが、避難場所を慰問したとき、彼は手を後ろに組んだまま、「やぁ、やぁ」と言って回っただけでした。実に薄情《はくじょう》で事務的にみえました。この点で対蹠的《たいせきてき》なのは天皇と皇后でした。腰を下ろし、被災者の目線に位置して、さらに皇后にいたっては被災者の手を握りながら、慰労《いろう》の対話をしたのです。私は、「人民のための、人民の国家」ということになっているが、その実は冷血な独裁者であるレーニンやらスターリンを、さらにはヨーロッパとアジアでミニ・スターリンを生んだ社会主義体制よりも民主憲法下の象徴天皇制の方がはるかに人民的だという、かねての思いがこれで一段と強くなりました。

U子さん――

こうした村山首相以下の当局の無能・無責任・非人道性とまるで正反対なのが創価学会でした。

先にも少し触れましたが、あの日あの朝、グラリと地震が起きるやいなや、西口良三関西長（現総関西長）は即座に学会本部等関係方面と救援活動の打ち合わせを行いました。そして救援対策が立った時、素晴《すば》らしいことには、西口氏らからの指示を受けるまでもなく、まずは自分自身が被災者である地元創価学会員をはじめとする各地の創価学会の組織とメンバーは創意工夫をこらした救援活動に立ち上がっていたのです。

「自分自身で立ち上がる」

「自分自身が助ける」

という「一人立つ！」そして「一人を大切に！」という学会精神の発露《はつろ》なのです。

地元学会員は率先《そっせん》して倒壊《とうかい》した建物の下に埋もれている人々を救出しました。当時のことを報道した朝日新聞の大きな写真に、この様子が映し出されています。もちろん朝日新聞はそれとは報道しませんでしたが、真っ先に救出活動をしているのは第一線の役職員を先頭とした学会員であることが明白に写真に写っていました。

こういうことができるのは、まず第一に、生命根本の学会の本源から生まれたことですが、それに加えて第二に、「あそこの家には誰と誰が住んでいて、誰は家の中のどこで寝ている」かをよく知っているほど濃密な地域社会との交流があるからです。

U子さん――

地元学会は兵庫池田文化会館・長田《ながた》文化会館・神戸講堂など九つの会館を一般被災者の避難場所として提供しました。ただ単に提供しただけではなく、たくさんの被災者が集まった会館では会館の建物の内に一般被災者を入れて、学会員の被災者は屋外に野宿したケースもありました。余談ながら、学会の施設は地震に強いことも実証されました。だから、創価学会が寄進した大石寺の正本堂は耐震性に問題ありとしてこれを破壊した日顕宗がどれほどいい加減《かげん》であるかがわかります。建物と日顕宗といえば、震災の地元にあった日顕宗の寺院は被災者が敷地内に入ることさえ拒《こば》んだそうです。被災者を受け入れた創価学会と、立ち入りを拒否した日顕宗。宗教団体としてどちらが大善でどちらが大悪であるかはこの一事だけで明瞭《めいりょう》です。

U子さん――

先に書きましたように、道路は大渋滞《じゅうたい》しました。

「バイクなら渋滞している自動車の間をぬって走れる」

ということを関西創価学会の青年部は気がつきました。そこでバイク部隊が出現したのです。総台数二千五百のバイク部隊が大活躍し、大効果をあげたのです。

U子さん――

自発性と道路渋滞と、そして船舶といえば、私が今住んでいる四国の創価学会がその見本です。

地震の報道が伝わると、四国創価学会はただちに救援活動に立ち上がりました。手分けして食料や飲料水や衣類や毛布や、さらには簡易《かんい》カイロといった必要と思われる救援物資を調達しました。そして陸路輸送には障害があるだろうと、これはと思われる船会社に電話をかけまくってチャーターし、集めた救援物資をどんどん船で輸送したのです。

U子さん――

こうした創価学会の大善活動は一般のマスコミは報道しませんでした。例えば学会員でない被災者にテレビが取材した時に、

「創価学会のおかげで大助かりしました」

と話した人が少なくなかったのです。ところが、いざ放映という段になると、この部分はカットされました。新聞も、先の朝日新聞がよい実例で、創価学会員が大活躍した

という事実は報道しませんでした。

しかしです、U子さん――

だから「マスコミはけしからん」と怒る気持ちを多くの創価学会員は持ったことでしょう。けれども、所詮《しょせん》一般のマスコミはそんな程度だと思い捨てた方がよい、と私は思います。逆に言うと、一般マスコミに報道してもらおう、とは期待しないことです。

そうではなくて、一般マスコミに頼らずに自分自身が一般の人々に語りかけることです。いわゆる「広宣流布《こうせんるふ》」・「仏法対話」とは、具体的にはそういうことではないでしょうか。「広宣流布」・「仏法対話」だからといって、なにも法華経や日蓮の『御書』の話をすることばかり、とは限っていません。創価仏法を如実《にょじつ》に体現し実践《じっせん》している創価学会の素顔を多くの人々に伝えることこそが最も重要で最も効果的な「広宣流布」・「仏法対話」でありましょう。

また他人頼りにせず――他人頼りをするから「報道してくれんっ」という不満が生まれるのです――、自前のマスメディアを持つことです。そして現実に持っているではありませんか。聖教新聞やグラフSGIやシナノ企画のビデオ等々、学会は幾種類ものマスメディア（大衆向け情報媒体）を持っています。現に聖教新聞の購読部数は五百五十万部。全国紙の読売、朝日に次ぐ大新聞になっています。創価学会とメンバーの活動を報道するそれらをより多くの人々に見てもらうことです。いわゆる聖教新聞購読推進とは、具体的にはそうすることではないでしょうか。

そうすることによって共感の輪が広がれば、おのずから一般マスコミも創価学会の思想と行動を報じるようになります。一般マスコミは購読者・視聴者あってのマスコミですから。そしてその萌芽《ほうが》が今すでに生まれつつあります。いくつかのラジオが池田名誉会長の労作の朗読番組を放送するようになっていますから。

ごちそうさまぁ——日常における美の価値創造の典型

U子さん——

牧口常三郎の三価値論の最後にくるものが美の価値です。そして彼の美の価値論は従来一般のそれとは次元を異《こと》にしています。従来一般のそれは文学・美術・音楽・演劇・

風景といった狭義の美だけをいうわけですが、彼の美の概念《がいねん》はそれ以上に広大なのです。それもこれも結局は彼の価値論が人間のイノチを根本としているからで、美の価値論も例外ではありません。人間のイノチを活性化・再活性化させるものを美の価値（の創造）と彼は認識しているのです。

「生命力の短縮あるいは圧迫、あるいは停滞を生じさせる心身の疲労、寂寞《せきばく》、悲しみ等は生命力伸長《しんちょう》の上から考察《こうさつ》する時、当然これを防禦《ぼうぎょ》し回復しなければならない。すなわち慰安と名づける精神的糧《かて》を必要とする。このことは積極的にせよ、消極的にせよ、意識的にせよ、無意識的にもせよ、人生の当然の要求である。この目的達成の手段として、対象を求める時、対象よりうける我々の影響は美的価値と名づける概念によって表《あら》わされる実在であるというより外《ほか》はないのではあるまいか。その生存力の伸長を回復し防禦する慰安として主観の受け取る対象の潜在力を我々は他の言葉で表わすことができようか」（前掲『創価教育学体系』Ⅱ、一〇四～一〇五頁）。

だから生命を産み、育《はぐく》み、守り、強めることが美の価値創造でもあるのです。したがって家庭生活、衛生、福祉、環境保全といった、従来の美の価値論＝美学が、さらには価値論一般が考察の対象から排除《はいじょ》していた物事までが美の価値にも包含《ほうがん》されるのです。

U子さん——

通念を超えるのはそれだけではありません。牧口の美の価値論からしますと休養・レクリエーションといったことが基本的人権となるのです。人間が労働によって放出した活力を再充電することだからです。人間の一日のうち睡眠《すいみん》時間がどうしても必要なのです。また一週間のうち土日を休日とすることが現在では常識になっています。

休まず働きづめであることが美徳とされていた戦前にあって、このように休養ということを三大価値の一つとした、ひいては基本的人権ととらえた彼の先見性にはただ驚くしかありません。彼が価値論を世に出した当時は、睡眠時間を削《けず》ってまで休まず働くことが美徳とされていた時代なのです。

いや、今日でもこの〝美徳〟＝非人道的偽善《ぎぜん》から完全には日本人は解放されていません。日曜に祝日の続く四月末から五月初めの期間を「ゴールデン・ウイーク」などと呼ぶ今の日本人の哀《あわ》れさはいじらしいほどです。なにが「ゴールデン・ウイーク」ですか。週末と祝日に休むことは当たり前のことです。英語でバケーションといい、フランス語でバカンスといい、ドイツ語でウアラウプという真の休暇とは、普通なら仕事をしなければならない期間に、しかも長期間休みを取ることなのです。例えばウアラウプを三十日取ったとします。これは一週間当たりの就業日を五日と計算しますから、土・日曜をくわえると都合六週間＝四十二日の休暇となります。そして欧米先進国では、こうした長期休暇が基本的人権として確固不動のものとなっています。

まだまだ日本は人権後進国であり、そして物質的にも貧しい国だと考えるべきです。日本は収入に比較してホテル等の宿泊施設の料金も食料品の代金も高いので、欧米のように数週間も家族あげて慰安旅行に行くことができませんから。

しかし考えてみると日本でも、農村には湯治《とうぢ》という長期休暇の慣習がかつては確立しており、そしてそれに対応する湯治宿が厳然と存在しました。だから都市住民も気楽に利用できる今の時代に即応した〝湯治宿〟が望まれるのです。

U子さん――

こうした牧口の言う美の価値創造の日常生活における典型が料理でしょう。

食事はおいしいという狭い意味での美の価値である上に、消費した活力を回復し、健康を維持し、さらには増進させるものですから。

すると料理をし、自分以外の人に食事を提供することは美の価値創造である上に、自分以外の人の生命を維持し発展させるわけですから善の価値創造でもあります。

ですから私は創価学会の壮年部に言うのですが、食事の時、料理を口にしたら即座に奥さんに、「おいしいよ」と言うべきなのです。

そして食事がすんだら、「とてもおいしかったよ。ごちそうさまぁ」と言うべきなのです。

主婦は家族がおいしく食べるように、体によいようにと心を砕《くだ》き、体を労《ろう》して料理をしてくれているのですから――もともと「馳《ち》走《そう》する」とはある人にサービスするために走りまわって汗をかくという意味から発して今では料理に集約されたのです――、家族は感謝の言葉を述べるべきなのです。

さらに言うと、父親が常日ごろから家族のしてくれるサービスに対して感謝の気持ちをはっきりと口に出して表現することは、子供たちに対する徳育の第一歩なのです。ひいては「和楽の家庭」づくりの基礎でしょう。

そして主婦にしてみれば家族から「とてもおいしかったよ。ごちそうさまぁ」と言ってもらうと、「あぁ、よかった」と、嬉《うれ》しくなり、やった甲斐《かい》が実感できます。だからこのひと言《こと》で、善の価値創造でもある美の価値創造が完成するのです。

日本の夫の少なからぬ人々が、「そんなこと、家族なのだから言うことない」と思いもし、言いもします。これは大間違いです。そう言える権利は料理をした主婦にだけあるのでして、料理をしてもらった側にはそんな権利は絶対にありません。

創価学会の芸術観

U子さん――

それでは狭義の美についての創価学会の見方とはどのようなものでしょう。なにせ、日顕宗は「ベートーベンの第九交響曲『合唱つき』を演奏することは謗法《ほうぼう》だ」と学会を非難しているほどですから。

そこで、ここでは「山本伸一」＝池田名誉会長の端的《たんてき》な芸術観をみてみることが最も適当だと思います。それは「民音」（民主音楽協会）創立の経緯《けいい》を書いた『新・人間革命』の次のくだりです。

「〈創価〉学会は、宗教の高低、浅深《せんじん》、正邪を、厳格に立て分けてきた。いかなる宗教を信ずるかが、人間の幸・不幸を決するからである。

それだけに、会員のなかにも、他の宗教に関係する音楽を演奏したり、聴いたりすることに、かなり抵抗を感じる人も少なくなかった。

宗教と、音楽などの芸術とは、確かに不可分の関係にある。宗教は、人間の生命という土壌を耕《たがや》し、その大地のうえに花開き、実《み》を結んでいくのが、芸術であるからだ。

しかし、その芸術に親しむことと、宗教そのものを信ずることとは、イコールではない。

宗教的な情熱が、芸術創造の源泉となっていても、芸術として花開く時、それは宗教の枠《わく》を超《こ》える。

美しい花は、どんな土地に咲いても、万人の心を和《なご》ませ、魅了《みりょう》する。それが美の力である。優《すぐ》れた芸術も同じであろう。

詩人ハイネは歌った。

『さやがはじけたとたんに、甘えんどうは万人《ばんにん》のものだ！』

芸術を、宗教やイデオロギーで色分けし、否定したりすることは、人間性そのものを否定するに等《ひと》しい。

ましてや、仏法は、生命の尊厳と自由と平等とを説き、人間性の開花の方途《ほうと》を示した慈悲の哲理である。

その仏法を根底にした音楽運動である限り、人間性の発露《はつろ》である音楽を、色分けして、排斥《はいせき》するようなことは、絶対にあってはならない――それが山本伸一の考えであり、また、信念でもあった。

……（中略）……

『私が恐れるのは、学会員が、そうした教条的《きょうじょう》で偏狭《へんきょう》な考え方に陥《おちい》ってしまうことです。私たちが厳格なのは、宗教の教えそのものに対してです。芸術や文化に対しては、いっさい自由であることを、社会にも、学会員にも、語っていかなくてはならない。芸術は、イデオロギーや政治の僕《しもべ》ではないし、宗教の僕でもない。独立した価値をもっているのだから、それを認め、尊重していくのが当然です。また、私には、民音の音楽活動を利用して、布教しようとか、音楽愛好家を学会に取り込んでいこうなどという考えは、毛頭ありません。みんなも、それをよく知ってほしい。

民音を設立した目的は、あくまでも、民衆の手に音楽を取り戻《もど》すことにある。人間文化を創造《そうぞう》し、音楽をもって、世界の民衆の心と心を結び、平和建設の一助とすることにある』」（平成十年＝一九九八年六月八日付聖教新聞）。

「山本伸一は、決意のこもった声で語っていった。

『これまで、芸術や文化を、教勢《きょうせい》拡大の手段にしてきた宗教が、あまりにも多い。

しかし、そんなことが長続きするわけがない。もともと、教団のため、一時的に利用するのが目的であり、本気でないからだ。

また、見せかけだけであることが露呈《ろてい》し、最初に賛同していた人も、次第《しだい》に離れていくからだ。メッキは、所詮《しょせん》、メッキである。

だが、私たちの文化と平和運動は違う。本気だ。真剣です。民衆のため、人類のための大運動です』」（翌九日付聖教新聞）。

●第二章●

「依正不二」と「人間の連帯」

――創価学会の自然観と平和思想の根源

「地人相関」――牧口『人生地理学』は世界初の社会生態学

U子さん――

近年「生態学」（エコロジー）、「生態系」（エコシステム）という言葉が日常用語にまでなっています。「生態学」はドイツの動物学者エルンスト・ヘッケル（一八三四～一九一九）が一八六六（慶応二）年につくった言葉で、ある生物主体とその生物的ならびに非生物的環境との相互作用のシステムを研究する学問です。そして「生態系」とはこの相互作用システムのことで、イギリスの生態学者アーサー・タンスレー（一八七一～一九五五）が一九三五（昭和十）年に提唱した概念《がいねん》です。

このエコロジーと語源的に近しい概念が「エコノミー」（経済）です。元来「エコ」とはギリシャ語の「オイコス」（家）が語源でして、「ノミー」もギリシャ語の「ノモス」（管理）からきたものです。そこで「エコノミー」は最初は「家政」を意味し、それが発展して「農業」を意味し、ついで今日の「経済（学）」を意味する言葉になったのです。「エコ」を共有する「エコノミー」と「エコロジー」（「ロジー」は「学問」の意味）は、だから親近性のある概念です。それがまるで対立関係であるかのように思われているのは、牧口常三郎のように利の価値と善の価値との統一的理解を持たないからです。さらにいえば、仏法的概念、しかも日蓮的解釈での「依正不二《えしょうふに》」と理解しないからです。

この生態系の内の「ある生物主体」を「人間」とすると、「人間生態系」という概念が生まれます。

そして、U子さん――

牧口の最初の大作『人生地理学』は、あなたもご存じのように、「地人相関」を主題としたものですから、この労作はすなわち「人間生態系」を説《と》いたものです。「人生地理学は地球の表面に分布する自然現象と人類の生活現象との関係の系統的智識である」（聖教文庫本『人生地理学』5、二二八頁）。

しかもすでに書いたように、牧口にとって「人間」とは「社会」と同義なのですから、『人生地理学』は世界で最初の「社会生態学」（ゾチアルエコロギー）の本なのです。

実は彼自身、この本の標題を『社会地理学』としようか、と思ってもいました。

「本書はあるいは社会地理学という方が名実適《かな》う点においては、かえって最も適当なのかもしれない」(同、二八二頁)。

したがって同書を地理学の本と限定して読むと彼の本意が理解できないのです。

しかも、こうした彼の「地人相関」論から出発すると、一般に理解されている人間と自然との関係とは次元の異なる人間―自然関係論が浮かび上がってきます。ひと言でいえば、今はやりの「自然との共生」論がいかにおかしいかがわかってくるのです。

「依正不二」――日蓮仏法の自然観

U子さん――

昨今、多くの、しかもいろいろな方面の人々が「自然破壊」ということを声高に叫んでいます。しかしこれは間違った議論の立て方です。倒錯《とうさく》・転倒《てんとう》といってもよろしい。なぜなら自然は破壊されず、ただ存在様式を変えるだけだからです。

いわゆる〝自然破壊〟とはどんな事態・状態かというと、それは土地が一木一草とてない不毛の地になること、海や川などの水が毒水になること、大気が有毒ガス化すること、地表温度が高まって氷河が溶けて海水の水位が上昇して多くの陸地が水没すること、逆に地表温度の低下により氷河が大成長すること、大気中のオゾン層が破綻《はたん》して宇宙線が大量に地表に降り注《そそ》ぐこと、生物のある種が絶滅《ぜつめつ》すること等々です。

だが、こうした状態は四十五億年とも四十六億年ともいわれている地球の歴史の大部分でありました。生物の種の絶滅でさえたびたび起こったのです。よい例が恐竜類で、かつて地球を支配していた彼らは全部絶滅して今では化石としてしか存在しません。これも自然です。自然のある一つの状態でしかありません。自然の状態が変化しただけで、自然そのものが破壊されたわけではありません。

U子さん——

問題はそんな状態の自然においては今の人間生活は営《いとな》めない、ということです。今日現在のような状態の地球でこそ人間は生きていける、ということです。

つまり第一に、いわゆる〝自然破壊〟とは決して人間の外にある、人間とは別のものとしての自然が破壊されるのではなくて、正しくは、人間が愚かなことをしたために、あたらありがたい状態の自然を、人間の生存が困難な別の状態へと変化させてしまった、ということです。人間生活の絶対的存立基盤を人間自身が破壊した、ということです。いわゆる〝自然破壊〟とは、正しくは人間の集団的自殺行為です。それを、まるで人間とは別の存在としての自然が破壊されたかのような、逆立《さかだ》ちした観念が〝自然破壊〟といった間違った認識なのです。

U子さん——

第二に、〝自然との共生〟という認識の仕方も正しくありません。共生とは別々のものが共に存在していることだからです。そうではなくて、人間は今のこの地球というありがたい自然の状態においてのみ生かされているのですから、「共」という文字を使いたいなら、「共命《ぐみょう》」——これも仏法的概念で生命を共にしていること——と言うべきです。譬《たと》えていうなら母親と胎児《たいじ》との関係のようなものです。もちろん、今のような自然が母親であり、人間が胎児です。

人間がこのように自然に対して絶対的に依存《いぞん》していればこそ、

「どのような状態の自然なら人間が生きていられるのか、単に生きていられるだけでは

なく、安楽快適に生きていられるのか、そうした好《この》ましい状態の自然はどのようにすればよいのか
ば確保できるのか」

というように、人間を主体に据《す》えた問題の立て方をしなければならないのです。

U子さん――

こうした人間と自然との関係を一言《いちごん》のもとに喝破《かっぱ》したのが仏法の命題「依正不二《えしょうふに》」です。「正報《しょうほう》」すなわち主体が人間、「依報《えほう》」すなわち環境が自然なのでして、両者は二にして不二なのです。こうした考え方以外に、人間と自然との関係を適切に認識《にんしき》したものを私は知りません。

しかも、仏法的認識の見事さはこれだけではありません。「依正不二」といった場合の正報と依報を単に並列《へいれつ》させてはいないことです。不二という関係にある両者の立場を明らかにしているのです。日蓮は言います。

「夫十方《それじっぽう》は依報なり、衆生《しゅじょう》は正報なり。譬《たと》へば依報は影のごとし、正報は体のごとし。身なくば影なし、正報なくば依報なし」（前掲『御書』、一一四〇頁。なお句読点は村尾の加筆）。

こういう「正報＝人間あってこその依報＝自然なのだ」という、まことに人間主義的なとらえ方こそが、人間と自然との関係の正確正当なとらえ方なのです。

U子さん――

日蓮は続けてこうも言っています

「正報をば依報をもって此《こ》れをつくる」（同上）。

まさにその通りです。依報＝自然は人間にとって狭義の外部環境だけではありません。人間のイノチの、だから人間そのものの「原料」なのです。人間は大気から息を吸い、自然物を食べることによって自身の肉体を、自身の生命をつくる。しかもイノチを生み、育み、保つためには食物だけではできない。最低でも衣服と住居が必要です。さらに人間生命＝人間生活にはさまざまな物資、つまり生活手段が必要なのですが、そして生活手段をつくる生産手段が必要なのですが、それらの原料・素材はすべて依報たる自然から人間が採取するものです。全く「正報をつくるものは依報なり」です。

実は、この人間と自然との仏法的＝日蓮的認識の仕方が、日蓮在世の時代よりはるか後世に生まれる「生態系」という概念の根幹なのであります。日蓮がこのように言ったのは鎌倉時代の建治元（一二七五）年、ヘッケルが生態学という言葉を造語したのは日本でいえば江戸時代最末期の一八六六（慶応二）年。生態系にいたってはタンスレーが提唱したのが一九三五（昭和十）年。この間実に五百九十一年ないし六百六十年もの時間の隔《へだ》たりがあります。先見の明とは、こういうことを言うのでしょう。

人間は連帯して生きている

U子さん――

人間は群《む》れ的存在ですから単独ではこうした自然との関係を結べません。「依報によって正報をつくる」といっても単独では不可能です。「衆生」としてしかできません。つまりは人間同士の連帯関係を介《かい》してこそはじめて自然から生活手段と生産手段を得ることができるのです。

このことを牧口常三郎は、実生活を例材として、実生活者の目線で、実生活者に実にわかりやすく説いています。

「もともと私は荒浜〔現・新潟県柏崎市荒浜〕の貧乏人の生まれで、半生をいたずらに衣食を求めることに費《つい》やして、世の中のためになんら貢献していない者であるが、さてこの貧しく賤《いや》しい者の日常身辺《しんぺん》を見まわしてみると、全世界の人々からの無量の恩恵を受けていることに驚かざるをえない。痩《や》せた五尺の身体にまとうラシャ地の服は、粗末なものであるけれども南アメリカもしくはオーストラリア産の羊毛であって、それを原料にイギリスの鉄と石炭を使ってイギリス人が造ってくれたもの。私がはく短靴も、不細工な品ではあるが、底皮はアメリカ合衆国産のもの。それ以外の革はイギリスの植民地インドのもの。ここまで書いて筆を止め、頭を上げてふと見てみると、赤々としたランプの油がこう語りかけているようだ。『自分はロシア・コーカサスの山端《やまはな》のカスピ海の畔《ほとり》の油田から採《と》れたもの。一万浬《かいり》を越えてここまで運ばれて来たのです』と。その燈《とう》光《こう》を調節して視力を補《おぎな》う眼鏡のレンズも、ドイツ人の精巧と熟練を想い起こさせる。一庶民の寒夜の一瞬の生活が、多く考えることもなく、単に頭に浮かんだものだけでも、私の生活がこのように世界中の人々と関係していることがわかる。

今もし、これらが牧畜《ぼくちく》され・採掘《さいくつ》され・収集され・製造され・運搬され・売買されて、ようやく私の元に辿《たど》りつくまでの人手と時間を想像する時、またこうした有形《ゆうけい》の物に触《しょく》発《はっ》されて、さらに無形《むけい》の影響に考えを及ぼす時、平素《へいそ》全然感じもせず考えもしないで過ごしてきた短調な半生が、実にこのように広大なる空間と時間との絶大な影響の焦点として過ごされてきたことに気がつくと驚かざるをえない。私の子供は母乳が不足したので乳製品で育っているが、日本製の物はしばしば粗悪だから、お医者さんに紹介してもらってスイス産のものを手に入れている。だからスイスのユラ地方の牧童《ぼくどう》に感謝しなければならない。また視線を転じて、この子が着ている物を見ると、即座にこれは黒い皮膚のインド人が炎天下に汗を流して作った綿花から出来たことが想い起こされる。このように無教養の身分賤しい人間の子供といえども、その命は生れた瞬間から世界中の人々のお蔭《かげ》にかかっているではないか」（前掲『人生地理学』1、二四〜二五頁）。

●第三章●

創価学会は平和と対話と寛容の運動体

創価学会の平和運動の原点

U子さん――

先の第一章で見ましたように、創価学会思想の源流である価値創造の価値とはイノチなのです。そして戦争というものは、どんなに言葉を飾《かざ》ろうとも、人間の生命を傷つけ、さらには滅ぼすことを目的とします。生活を破壊します。

また、第二章で見ましたように、牧口常三郎創価学会初代会長は、人間は人間同士の連帯のおかげで生かされていることを論証しました。そして戦争というものは、この人間同士の連帯を破綻《はたん》させるものなのです。

こうした牧口初代会長の思想が創価学会の平和運動の原点でして、ここから出発して戸田城聖第二代会長の熱烈な世界平和希求《ききゅう》が生まれました。さらに両会長の遺志を継《つ》いで池田大作第三代会長は文字通り全世界で平和運動を展開してきているのです。

創価学会の青年部向け新聞・創価新報の「ハニーのフレッシュ問答」は創価学会の思

想と行動をわかりやすく説明した連載企画ですから、よけいに創価学会の本質が鮮明に浮き彫《ぼ》りになっています。その平成十五（二〇〇三）年五月七日付記事には以下のような問答があります――

「池田先生の一五〇〇回を超す世界の識者・指導者との対話を見ても分かるように、〔創価〕学会ほど世界のあらゆる思想・哲学のリーダー、また科学や芸術、文学、教育、政治等々、あらゆる分野の第一級の知性と対話をしている団体はほかにはないでしょう」。

「『対話ができる』『人々の対話の力をあと押しする』ということが、宗教の要件だと思うんです。宗教が違うからといって、相手を否定したり見下したりしてはいないと思うんだよね。でも学会の場合、そこが不思議なんだ。教義が厳格なわりに、他人に対しては寛容だろう」。

「そうです。万人の平等を説《と》くのが仏法です」。

U子さん――

こうした精神態度による対話の結果、創価学会の正式な海外組織のある国・地域の数は現在で百八十六カ国・地域におよんでいます。これほど仏教が全世界に広宣流布《こうせんるふ》された例は仏教史上空前のことです。これを統括《とうかつ》する組織が創価学会インタナショナル（SGI）なのですが、それと日本組織を含む各国・地域組織とが世界平和を希求《ききゅう》する創価学会の運動を実際に担っているのです。

戸田城聖の「原水爆禁止宣言」

U子さん――

「戦争ほど、残酷《ざんこく》なものはない。戦争ほど、悲惨《ひさん》なものはない」

池田大作創価学会名誉会長は、この一文でもって戸田城聖第二代会長の伝記的小説『人間革命』（聖教新聞社刊）を書き始めています。

そして戦争の中でも最も残酷で悲惨なものは核戦争です。そして日本は核兵器＝原爆の最初の被爆《ひばく》国です。さらには水爆の被害を直接受けた最初の国です。昭和二十九（一九五四）年三月一日に起きた「第五福竜丸《ふくりゅうまる》事件」（静岡県焼津港所属のマグロはえ縄漁船第五福竜丸が太平洋で操業中に水爆実験による死の灰を浴びた）です。だから核兵器＝原水爆反対運動が盛んです。

しかし大変不幸なことには、「どの国の核兵器を禁止させるか」で国論が二分されてきました。革新系は「米国等西側諸国の核兵器は悪《あく》だけれども、旧ソ連等東側諸国の核兵器は平和を守る善《ぜん》なのだ」と主張してきました。これに対して保守系は「東側の核兵器は悪で、西側のそれは善なのだ」と主張してきています。そして両者に共通していることは、いずれにせよ核兵器は戦争抑止力《よくし》がある、という認識です。

U子さん――

この「どこの国の核兵器が善なのか」という議論と「核兵器は抑止力だ」という認識の二つを二つながら批判した最初の人が戸田第二代会長です。そして核兵器抑止論が皮肉なことに核兵器の拡散《かくさん》（より多くの国が核兵器を持つこと）をもたらすことを彼は知っていました。これは結局は核兵器の抑止力を減殺《げんさい》するのです。

「戸田の思索《しさく》は、核兵器が戦争の抑止力になり、それによって平和が維持されるという、核抑止論に及んだ。この考えは、水爆という未曾有《みぞう》の破壊力をもつ兵器が登場したことによって、もはや、戦争になれば、互いに共倒れすることになるから、戦争はできないという考え方にはじまっている。彼は、この核抑止論をもたらしたものは何かに、思索のメスを入れていった。

――核抑止論者はいう。たとえば、核兵器をもって先制攻撃をしかけ、仮に一千万という人を殺したとしても、生き残った者が報復攻撃によって、何千万もの人を殺せるから、結局、核兵器が戦争の抑止力になる、と。しかし、そんな思考自体が、人間精神の悪魔的な産物ではないか。この抑止力とは、人間の恐怖の均衡《きんこう》のうえに成り立ったものだ。したがって、互いに相手が、より高性能で破壊力のある核兵器を開発し、装備することを想定《そうてい》し、際限《さいげん》のない核軍拡競争という悪循環に陥《おちい》らざるをえない。そこに待ちうけているものは、悪魔の迷路といってよい。

戸田城聖は、核抑止論の行きつく先《さき》を考えた。

――この考えに立つかぎり、早晩《そうばん》、多くの国々が安全を確保するためには、核をもたなければならないという発想に陥り、それがいっさいに最優先される時代が来《こ》よう。その結果、核兵器は人類を何度も抹消《まっしょう》するほどの量となり、地球をも壊滅《かいめつ》しうる怪物《かいぶつ》へと肥大化していくにちがいない。

戸田は、ここまで考えると、この二十世紀という時代にあらわれた、黒々とした深淵《しんえん》を覗《のぞ》きこむような思いにかられた。深淵の様相《ようそう》は定《さだ》かではないが、まさしく、人類が遭《そう》遇《ぐう》するであろう最大の地獄であろうと思った。それは、あの広島・長崎の原爆投下の惨状から、十分に推測《すいそく》することができた。

――原水爆は、これまでの兵器とは、その殺傷力《さっしょうりょく》においても、破壊力においても、決して同列にとらえることはできない。いかに言葉を飾《かざ》ろうと、人間の魔性《ましょう》の落《お》とし子であり、人間の生存の権利を根本的に脅《おびや》かす運命的な兵器なのだ。そうだとすれば、原水爆の存在は『絶対悪』として断じていかなくてはならないはずである。しかし、世の多くの指導者たちは、この恐るべき核兵器を通常兵器の延長線上にあると考えている。それは、原水爆を実用に供《きょう》する兵器にしようとするところから生まれた、あの『きれいな水爆』という言葉にも、端的《たんてき》に表《あらわ》れている。

……(中略)……

――いま、西側〔欧米等の資本主義国〕も、東側〔ソ連東欧・中国等の社会主義国〕も、互いに、核軍拡競争に明け暮《あく》れ、相手が平和を望んでいないと非難しあっている。しかし、もっと大切なことは、イデオロギーに左右されるのではなく、原水爆こそ人類の生存の権利を脅かす『絶対悪』であるとの共通の認識に立つことではないか。さらに、この魔性の産物である原水爆を使用する者も、また、悪魔であると断じていくことだ。野蛮の究極《きゅうきょく》的な存在にほかならない原水爆の使用者を、人間は、人類の名において、決して許してはならない。絶対に……。そして、この思想を、全世界に浸透《しんとう》させていくことだ」（聖教新聞社刊『人間革命』第十二巻、一〇二～一〇六頁）。

U子さん――

こう考えたからこそ、戸田第二代会長はあの有名な「原水爆禁止宣言」を発したのです。時は昭和三十二（一九五七）年九月八日、所は横浜市三ツ沢グラウンド、創価学会青年部東日本体育大会「若人の祭典」（参加者五万三千人）でのことでした。

そこで、この「宣言」の全文を引用しておきましょう。

「天竜も諸君らの熱誠にこたえてか、昨日までの嵐はあとかたもなく、天気晴朗《せいろう》のこの日を迎え、学会魂を思う存分に発揮せられた諸君ら、またそれにこたえる大観衆の心を、心から喜ばしく思うものであります。さて、今日の喜ばしさにひきかえて、今後も、当然、難《なん》があるであろう。あるいは、わが身に攻撃を受けることも覚悟のうえであるが、諸君らに今後、遺訓《いくん》すべき第一のものを、本日は発表いたします。

前々から申しているように、次の時代は青年によって担《にな》われるのである。広宣流布《こうせんるふ》は、われわれの使命であることは申すまでもない。これは、私たちが絶対にやらなければならぬことであるが、今、世を騒《さわ》がしている核実験、原水爆実験にたいする私の態度を、本日、はっきりと声明したいと思うものであります。いやしくも、私の弟子であるならば、私の今日の声明を継《つ》いで、全世界にこの意味を浸透《しんとう》させてもらいたいと思うのであります。

それは、核あるいは原子爆弾の実験禁止運動が、いま世界に起こっているが、私はその奥に隠《かく》されているところの爪《つめ》をもぎ取りたいと思う。それは、もし原水爆を、いずこの国であろうと、それが勝っても負けても、それを使用したものは、ことごとく死刑にすべきであるということを主張するものであります。なぜかならば、われわれ世界の民衆は、生存の権利をもっております。その権利をおびやかすものは、これ魔ものであり、サタンであり、怪物であります。それを、この人間社会、たとえ一国が原子爆弾を使って勝ったとしても、勝者でも、それを使用したものは、ことごとく死刑にされねばならんということを、私は主張するものであります。

たとえ、ある国が原子爆弾を用いて世界を征服しようとも、その民族、それを使用したものは悪魔であり、魔ものであるという思想を全世界に広めることこそ、全日本青年男女の使命であると信ずるものであります。願わくは、今日の体育大会における意気をもって、この私の第一回の声明を全世界に広めてもらいたいことを切望して、今日の訓示にかえるしだいであります」(同、一一五～一二二頁)。

国家間の仲が悪い国とこそ——池田大作の緊張緩和・友好促進行動

U子さん——

民間レベルの国際親善活動が必要な相手はどの国だと思いますか。国家同士が仲のよい国ももちろんですが、それよりももっと必要なのは国家間の仲が悪い国との友好親善活動なのです。

　なぜかと言いますと、第一に、民間レベルの交流がやがて国家間の緊張を緩和《かんわ》し、さらには友好関係に導いていくからです。国家間の仲の悪い国同士では政府同士が互いに角《つの》を突きつけあっていますので、なかなか友好親善の糸口を見つけることが困難だからです。そこでまず、民間レベルの交流を展開しておいて、政府間のシコリを揉《も》みほぐしておいてやらねばなりません。このことは緊張緩和の歴史が証明しています。表面上は政府の主導の結果、友好関係に入《はい》れたようにみえる場合でも、実は陰に陽に、非政府的な人々の活動があって、はじめて友好の実が結ばれるものなのです。

　第二に、国家間が仲が悪いということは、双方の意思を伝えるパイプがない、ということです。すると互いに疑心暗鬼《ぎしんあんき》に陥《おちい》って、相手の行動を誤解し、仲の悪さを加速する――最悪のケースは戦争になる――からです。ところが民間レベルで交流していますと、このパイプができていますから、こうした危険を未然《みぜん》に防ぐことができるのです。

　U子さん――

　民間外交の例として有名なのは北京を首都とする共産党政権の中華人民共和国とアメ

リカとの国交回復を実現する端緒《たんしょ》となった「ピンポン外交」です。昭和四十六（一九七一）年四月十日、日本で開催された世界卓球大会に出場したアメリカの選手団を中国が招待しました。中米はこれまで厳《きび》しく対立しておりました。アメリカは台湾の国民党政権を中国を代表する政府とみなしてきました。みなしただけではなく、国民党と共産党との内戦以来長らく国民党政権を援助し続けてきました。そしてなんといっても中国（北京政権）とアメリカは朝鮮戦争で実際に戦いあった国同士なのです。さらに当時はベトナム戦争の真っ盛りで、この戦争でも中米は深刻に対立していました。こうした関係にあるなか、アメリカ卓球選手団の訪中は中米間の友好化開始のシグナルだったのであります。

これをうけて同年七月九日、米国のキッシンジャー大統領補佐官が密《ひそ》かに中国を訪問して両国間の懸案事項の解決とニクソン米国大統領の訪中の合意をなしとげたのです。そして国連は同年十月二十五日、中華人民共和国が中国を代表する政権として国連に招くことを決議し、中華民国政権（台湾政権）は国連から追放されました。そしていよいよ翌一九七二年二月二十一日、ニクソン大統領が中国を訪問し、毛沢東主席ならびに周恩来総理と会談しました。中米共同宣言が出たのが二十七日でした。

U子さん——

しかし、なんといっても、民間レベルでの対中国関係改善の大行動を起こしたのは池田大作創価学会名誉会長（当時会長）なのです。

キッシンジャー訪中の三年前の昭和四十三（一九六八）年九月八日、東京・両国の日大講堂で開催された第十一回創価学会学生部総会（参加者二万人）において、日中国交正常化、そのための日中最高指導者の会談、中国の国連加盟、日中貿易の促進《そくしん》等を提唱《ていしょう》したのです。名誉会長は、とくに、現在、中国の国際社会参加への扉《とびら》が閉《とざ》されていることは、世界平和にとって由々《ゆゆ》しき事態である、との認識を示した上で、

「この扉を開ける最も有力な鍵《かぎ》を握っているのは歴史的な伝統の上からも、地理的な位置からも、民族的な親近性からも、わが日本をおいて絶対にありません。したがって、なんとしてでも日本政府は北京政府と話し合うべきであると思う。両国の首相が、最高責任者が話し合って、基本的な平和への共通意志を確認し、大局的基本線から固《かた》めてゆく。そしてそれから細《こま》かい問題に及んでゆく」（シナノ企画制作ビデオ『21世紀への平和

の光彩――池田SGI会長の平和への歩み』より）

と提言したのです。

そうです、U子さん――

池田氏の言う通り、どこの国よりも日本が、誰よりも日本の首相が世界に先駆けて日中国交正常化と中国の国連参加のイニシアチブをとらなければならなかったのです。だが日本政府とマスコミの反応は冷たいものでした。政府にいたっては「迷惑である」と露骨に反発したのです。だから、日本の頭越《あたまご》しに、事前の通報もなく、ニクソン米大統領特使のキッシンジャー補佐官による訪中と米中国交正常化が行われてしまいました。日本政府の面目は丸潰《つぶ》れです。田中角栄首相らの訪中は池田提言に遅れること丸四年の昭和四十七（一九七二）年九月二十五日、ニクソン訪中の後塵《こうじん》を拝してのことでした。

この日本政府の態度と対蹠《たいせき》的なのは中国でした。中国は池田提言を大変重く受け止め、池田名誉会長の訪中要請の動きさえ、当時すでにあったのです。このように早くから中国への国際社会の扉を開けようとしたのは名誉会長でした。この意義を端的に示すものは、昭和四十九（一九七四）年十二月五日の故周恩来中国総理との会談です。周総理は当時、ほとんど末期的といってよいほど重篤《じゅうとく》な病状にありました。それでも名誉会長と会う、と言ったのです。医師団は強硬《きょうこう》に止めました。しかし周総理は、それ以上に強硬に会談すると主張し、ついに強行しました。それほど、周総理、ひいては中華人民共和国にとって、池田大作という人物は是が非でも会わねばならない人間だったのです。

U子さん――

しかし、今日に至ってもなお、日中関係は本当に仲のよいものにはなっていません。日本の支配層、とくに保守系・右派の政治家・言論人・文化人たちは、日本が〝満洲《まんしゅう》〟つまり中国東北部を植民地化し、中国本土を侵略したことを本当に悪いことだったとは思っていません。ついつい本音《ほんね》が出ます。いや、本音が出るどころか、本心を公言し、行動に移しさえするのです。その典型が日本の総理大臣以下の大臣・国会議員たちの靖国神社公式参拝であり、いわゆる「教科書問題」です。

靖国神社には、アジア太平洋戦争のA級戦争犯罪者として断罪された東条英機以下が祀《まつ》られているのです。その靖国神社を首相以下が参拝することが、いかに中国人民、ひいてはアジア太平洋の日本軍が占領した地域の人びとの神経を逆《さか》なでするかは多言を要しません。私は、アジア太平洋諸国との友好を口にしながら、こういう行動を毎年行っている日本の指導者の無神経さには、あきれるばかりです。国内法的にも政教分離という憲法の規定に反します。

こうした「過去」の問題の本当の清算なしには、本当の「未来志向」の日中関係などありえません。

U子さん――

第二の例が日ソ友好の促進です。池田名誉会長は昭和四十九（一九七四）年九月、翌年五月と続けて訪ソし、両度ともソ連首相コスイギンと会見して（九月十七日・五月二十八日）、日ソ友好への展望、特に平和条約問題、文化交流の促進等々を語り合い、日ソ親善を開拓したのですが、特に劇的なのはソ連最高指導者の訪日としては史上最初のゴルバチョフ大統領の訪日を実現したことです。平成三（一九九一）年四月のことです。それを可能にしたのは前年の七月二十七日のモスクワ・クレムリンでの名誉会長と大統領との会見でした。ドナエフ元ノーボスチ通信社東京支局長によると、ゴルバチョフが政権に就《つ》く前の日ソ関係は「悲惨な状態」にあり、しかも彼が政権のトップになっても、名誉会長との会見の直前の七月二十五日に行われた桜内義雄日ソ友好議員連盟会長とゴルバチョフとの会見での桜内会長の発言は全《まった》くぶち壊《こわ》しでした。こうした事態を一挙に逆転させたのが名誉会長だったのです。名誉会長の行動なしにはゴルバチョフ訪日はありえませんでした（二〇〇三年＝平成十五年六月四日付創価新報）。

U子さん――

池田名誉会長の凄《すご》さは、単に日本と外国との友好親善に努力しただけではなく、外国同士の間の緊張緩和さえ図《はか》ったのです。

例えば米ソの緊張緩和です。

「81年5月、3度目の訪ソの折《おり》、ＳＧＩ会長は60年代から主張してきた『米ソ首脳会談』を、チーホノフ首相に直接提案している。

そして85年11月、スイスでアメリカのレーガン大統領とソ連のゴルバチョフ書記長による、初の米ソ首脳会談が実現したのである」（平成十五年＝二〇〇三年五月一日付聖教新聞）。

しかし、なんといっても劇的なのは中ソの緊張緩和です。同じ社会主義国同士でありながら、中国とソ連およびその衛星国である東欧等とは長らく極めて険悪な関係にありました。中ソは最後の和解のチャンスであった昭和三十八（一九六三）年七月二十日のモスクワでの会議で決裂してしまい、ついに昭和四十四（一九六九）年三月二日には両国の国境であるウスリー江において武力衝突を起こすまでになりました。

ところが池田名誉会長は昭和四十九（一九七四）年の五月二十九日から六月十六日の間、中国を訪問し、日中関係はもちろんのこと、アジアの安定、ひいては世界の平和に関して中国首脳部と話し合いました。その時に中ソ対立がアジアの、世界の平和にとって大層由々しき問題であることを確認しました。そこで同年九月八日から十八日の間、ソ連を訪問したのです。

そして九月十七日に当時のソ連首相コスイギンと名誉会長は会談しました。その際（前掲シナノ企画ビデオによる）、名誉会長はコスイギンに向かって、

「中国は、ソ連が中国に侵略するのではないか、ということを一番心配しています。ソ連は中国に侵攻するつもりですか」

と単刀直入《たんとうちょくにゅう》に質問しました。するとコスイギンは、

「絶対に侵攻しません」

と答えました。そこで名誉会長が、

「わかりました。今の御発言を中国首脳部に伝えてよろしいですか」

と重ねて質問したところ、コスイギンは、

「ぜひ伝えてください」

と答えました。

聞くところによると、コスイギンはソ連の関係者に、

「イケダはとても興味深い人物だ。あんな日本人に会ったことがない。今後彼を大事にしなさい」

と言ったそうです。

池田名誉会長は、そこで、同年十二月二日から六日の間、再度訪中し、中国首脳部にこのコスイギンの回答を伝えました。故周恩来総理との劇的にして歴史的な会見が行われたのは五日のことです。そしてその後、中ソ対立は緩和へと動き出したのでした。

「日韓」ではなくて「韓日」と

U子さん――

国家間の仲が悪い、とまでは言いませんが、なにかとぎくしゃくしているのが日韓関係です。その最大の原因は、日本のかつての朝鮮半島植民地支配を日本の支配層が本心では悪かったとは思っていないからです。なるほど政府の公式表明は植民地支配を遺憾《いかん》であったとしています。しかし日本の支配層、とくに保守系・右派の政治家や文化人などは、つい本音を公言してしまうこと頻《しき》りです。だから、またまた韓国政府と国民を怒らせます。

「日本は本当には悪いと思っていないのだ」

と思わせ、その都度《つど》日本政府は謝罪するのですが、韓国の被害感情は鎮痛《ちんつう》されずに、いつまでも喉《のど》に刺さった骨として残ったままなのです。

そこで保守系・右派の人たちは、

「何度謝罪すれば気がすむのかっ」

と反発して、日本の外交を土下座《どげざ》外交だと批判し、日本の植民地支配の悪行《あくぎょう》を直視する精神態度を「自虐《じぎゃく》史観」と非難するのです。

日本が朝鮮半島でしでかした悪行は数々《かず》ありますが、ここでは「創氏改名《そうしかいめい》」についてだけ述べます。

昭和十四（一九三九）年十二月二十六日、日本の朝鮮半島支配機関である朝鮮総督府《そうとく》は朝鮮半島人の氏名を日本式に改めることを強制しました。例えば金氏は金田さんとか金井さんとかに変更させたのです。

儒教《じゅきょう》が優勢な朝鮮半島では、先祖を、だから家系をそれはそれは大事にします。したがって「氏」はその人のアイデンティティなのです。それを捨てることは、ほとんど自殺に近いと言ってよいほどでしょう。朝鮮半島ほど儒教が優勢でない日本人でさえ、例えばもし敗戦直後の日本でＧＨＱ（連合国軍総司令部）が氏名をアメリカ式に変えることを強制したなら、どんな反応がおこるか容易に想像できます。まして日本よりはるかに氏名を大事にする朝鮮半島人に日本帝国主義国家は創氏改名を強制したのです。

U子さん——

こうした戦前の日本国家の悪行を心底では犯罪行為だとは思わない日本人が今なお少なくはありません。彼らはついつい本心を公言します。その実例の一つが最近も生まれました。平成十五（二〇〇三）年五月三十一日、東大の五月祭の講演で、当時の自民党の政調会長だった麻生太郎代議士は、

「創氏改名は朝鮮人の要望で始まった」

旨を発言しました。その上、同年六月三日付愛媛新聞によると、中国や韓国から批判されている侵略・植民地化等の日中・日韓関係にかかる歴史認識問題についても、

「歴史認識を一緒にしようと言っても、隣の国と一緒になるわけがない」

と述べ、根本的解決は困難との見方を示した、というのです。

こうした認識の人物が日本政界の有力者でいる限り、日本と中国、朝鮮半島ひいてはアジア諸国との真の善隣関係の樹立は不可能です。

U子さん——

ところが創価学会——個人で言えば池田名誉会長——は、およそ彼らの対極にありま

す。名誉会長は、日本帝国主義の悪行を悪行として率直《そっちょく》に認めるだけではなく、中国はもちろんのこと、韓国は日本の文化、ひいては産業・政治等における大恩人だ、とかねがね言いもし書きもしているのです。

「その大恩人に対して、あろうことか、なんたる非道を日本帝国主義ははたらいたのか」という歴史認識を名誉会長はもっているのです。

こうした精神態度を直截《ちょくせつ》に表《あらわ》しているのが、名誉会長、したがって創価学会が日韓関係について述べる時、「日韓」とは言わずに常に「韓日」と言っていることです。

自国と他国を並列する場合は自国を先にし、他国を後にします。例えば、日本側から言う場合には「日中友好」で、中国側から言う場合には「中日友好」です。これが国際外交の通念です。

池田名誉会長・創価学会は、そんなことは百も承知の上で、あえて「韓日」と言い続けています。そこには韓国に対する敬意と謝罪の念が溢《あふ》れるほど込められているのです。

この気持ちを韓国民が感じないわけがありません。その感得《かんとく》の表れが、名誉博士・名誉市民等々の顕彰が韓国全土から、池田氏に贈られていることです。

最近の例を挙《あ》げますと、韓国・済州《チェジュ》道道議会が満場一致でSGI（創価学会インタナショナル）会長としての池田氏に「名誉道民」の称号を贈りました。その決定通知書には次のように書かれています（平成十五年＝二〇〇三年五月二十二日付聖教新聞）。

「貴下《きか》におかれましては、韓国を『文化大恩の国』と讃《たた》えられ、在日韓国人の参政権保障を主張し、在日韓国同胞《どうほう》たちの人権伸長《しんちょう》に力を傾《かたむ》けておられます」。

「さらに日本の歴史歪曲《わいきょく》論を非難し、韓日間の正しい歴史観を普及《ふきゅう》させるなど、韓日間の友好増進を図《はか》るために先駆してこられた功労《こうろう》は多大であります」。

「池田会長のご功労に比べると、誠にささやかなものですが、済州道民の真心《まごころ》と感謝のしるしとご理解いただき、名誉道民証をお受け取りいただきたい」。

イスラムとの対話──「山本伸一」の確信

U子さん──

世界各地で起きているテロ・武力衝突、とりわけ平成十三（二〇〇一）年九月十一日の米国での同時多発テロ、同年十月八日からの米英軍等によるアフガニスタンのタリバーン政権に対する報復攻撃、そして平成十五（二〇〇三）年三月十九日からの米英軍によるイラクに対する先制攻撃と、世界の平和と民族間の友好を脅《おびや》かす事件の背後にイスラムの影があります。だから、中世の暴虐《ぼうぎゃく》な十字軍から始まって、近代の植民地主義、さらには現代のパレスチナ問題と、欧米のようにイスラムに対する〝前科〟のあるわけではない日本が、イスラムとの対話を始めなければなりません。この点でも先見の明があるのが池田名誉会長です。その一端を明示しているのが『新・人間革命』の一節です。

「黒木昭が言った。

『昨年の秋（昭和三十六年＝一九六一年十月）、ヨーロッパに同行させていただいた折に、先生はバチカンで、仏教とキリスト教、仏教とユダヤ教、仏教とイスラム教なども対話を開始していかなければならない、とおっしゃっておりましたね』

『そうだ。それは時代の要請《ようせい》であり、また、必然でもあるからだよ』

黒木は思案顔《しあんがお》で、重《かさ》ねて尋《たず》ねた。

『しかし、イスラム教は、神の唯一絶対性を、極めて強烈に打ち出しているように思います。それだけに、イスラム教との対話は、最も難《むずか》しいのではないでしょうか』

〔山本〕伸一は、黒木を諭《さと》すように言った。

『黒木君、なぜ、そう決めつけてしまうんだい。実際にやってみなければ、わからないじゃないか。自分の先入観《せんにゅうかん》にとらわれてはいけないよ。

それに、イスラム教との対話といっても、宗教上の教義をめぐって、語り合わなければならないということではない。同じ人間として、まず語り合える問題から、語り合っていけばよいではないか。

文化や教育のことについてでもよい。あるいは、人道的な立場から、平和への取り組みについて語り合ってもよい。文化の向上や平和を願う人間の心は、皆、一緒だよ。

また、そうした問題を忌憚《きたん》なく話し合っていくならば、自然に宗教そのものについても、語り合っていけるようになるにちがいない。

いずれにしても、対話の目的は、どうすれば、みんなが幸福になり、平和な世界を築いていけるかということだ。それにイスラムは、偶像《ぐうぞう》は認めないが、文字は大事にしている。これは大聖人《だいしょうにん》〔日蓮〕の仏法に近い側面といえるのではないだろうか。

また、唯一神アッラーについては、イスラム神学上の難《むずか》しい議論もあると思うが、全知全能にして天地万物《ばんぶつ》の創造者という考え方は、宇宙の根源の法則である妙法《みょうほう》を志向しているようにも思える。それはユダヤ教も、あるいは、キリスト教も同じかもしれない。そうだということになれば話は早い。

私は、対話を重ねていくならば、イスラム教の人びとも、仏法との多くの共通項を見いだし、仏法への理解と共感を示すに違いないと確信している」（聖教新聞社刊『新・人間革命』第六巻、五八〜六〇頁）。

U子さん――

私もこの「山本伸一」こと池田大作氏の認識に同感です。イスラム教との対話の最大の障害《しょうがい》と思われている唯一絶対神信仰でさえ、名誉会長は「妙法を志向しているようにも思える」と、仏法との共通性、少なくとも親近性としてとらえなおしているのです。

そしてそれは同時に、イスラム教に負けず劣らず偏狭《へんきょう》で独善《どくぜん》的な宗教だという日蓮仏法に対する根強い偏見に対して、名誉会長は身をもって反論しているわけです。ということは、創価学会とは対話と寛容《かんよう》の宗教なのだ、と主張しているわけです。

その事例は数多くありますが、熱烈な日蓮仏法の信仰者であった、そしてなんといっても創価学会の——創価教育学会ではなく——創立者である戸田城聖の名前を冠《かん》した「戸田記念国際平和研究所」の所長に、ほかならぬイスラム教徒であるマジッド・テヘラニアン教授を任用したことなどは、その格好《かっこう》の実例でしょう。教授はイラン人です。そしてイランのイスラム教の支配宗派はイスラム教諸宗派の中でも〝固い〟シーア派なのです。ここにも名誉会長の世界平和に対する心がまえが、なお言えば世界平和のためには宗教間・文明間の対話が不可欠だという戸田第二代会長の最良の弟子である名誉会長の認識が如実《にょじつ》に表《あらわ》れています。そして、こういう人事ができる人は少なくとも日本では池田大作氏ぐらいのものでしょう。

U子さん——

そこで私も、仏法＝創価学会とイスラム教との「共通項」の具体例を、主なものだけ若干あげてみましょう。

例えば前の『新・人間革命』第六巻の引用文中で「山本伸一」も指摘しているように、創価学会もイスラム教も偶像崇拝をしません。学会の御本尊は仏像ではなく、南無妙法蓮華経という文言《もんごん》を主体とした文字曼陀羅《まんだら》です。イスラム教もまたアッラーを意味する文字やアッラーをたたえる文字を神聖視するもので神像《しんぞう》は一切否定します。

そして、イスラム教にはカリスマ的な聖職者がいません。ウラマー（直訳すると「学識者」）という俗人の指導者がいるだけです。徹底した在家《ざいけ》信徒集団である創価学会とそっくりです。

また、イスラム教のモスクは寺でも神社でも教会でもありません。俗人の管理者がいるだけで、住職《じゅうしょく》のような者はいません。信徒が集まり勤行《ごんぎょう》し、個人的な問題から教学上《きょうがく》の事柄《ことがら》まで諸々《もろもろ》の話題で会合を開いたり、指導を受ける場所です。だからモスクはまさに創価学会が各地にもつ会館とそっくりです。

さらに、創価学会もイスラム教も現世《げんせ》の幸福を大切にします。この点が、この世は原《げん》罪《ざい》を背負った罪深い人間たちの世界で、ただただ神に召《め》されて天国へ行けるように免《ゆる》しを乞《こ》うしかないというキリスト教や、厭離穢土欣求浄土《えんりえどごんぐじょうど》と、この世を穢《けが》れた土地とし、ひたすら浄土である来世《らいせ》への往生《おうじょう》を願う浄土宗や浄土真宗と大きく違うところです。

U子さん——

とはいえ、宗教としてイスラム教には乗り越えるべき課題が少なからずある、ということも言っておかなければなりません。その理由を、ここでは一つだけあげます。それは女性観です。イスラム教の女性観の難点《なんてん》はたくさんありますが、ここでは絞《しぼ》りに絞って男尊女卑《だんそんじょひ》観についてだけ紹介します。

イスラム教の最高教典である『コーラン』にはこう書かれています。

「アッラーはもともと男と（女）との間には優劣をおつけになったのだし、また（生活に必要な）金は男が出すのだから、この点で男の方が女の上に立つべきもの。だから貞《てい》淑《しゅく》な女は（男にたいして）ひたすら従順に、またアッラーが大切に守ってくださる（夫婦間の）秘《ひ》めごとを他人《ひと》に知られぬようそっと守ることが肝要。反抗的になりそうな心配のある女はよく諭《さと》し（それでも駄目なら）寝床に追いやって（こらしめ、それも効かない場合は）打擲《ちょうちゃく》を加えるもよい」（井筒俊彦訳『コーラン』岩波文庫本・上、一一五頁）。

創価仏法の女性観はどうかというと、男女平等、いや、むしろ女性を上においている節さえ見受けられます。池田名誉会長がどれほど女性を讃嘆《さんたん》しているかは有名ですし、本書でも後でその一部を引用しますから、今ここでは日蓮の『御書』からの引用だけにとどめます。

日蓮は信者である四条金吾の女房宛《あて》の手紙で、法華経以外の仏教の経文、さらには外《げ》典《てん》（仏教以外の思想書）は、あまりにも女性を侮蔑《ぶべつ》し、さらには悪人視しているので、女にだけはなりたくはない、と思わせられる旨を述べた後、こう書いてやりました――

「此の法華経計《ばか》りに此の経を持つ女人は一切の女人に・すぎたるのみならず一切の男子に・こえたりとみえて候」（一一三四頁）。

また、やはり信者の上野殿こと南条時光に宛てた手紙でこう書いています――

「女人は夫を財《たから》とし夫は女人を命とし云々《うんぬん》」（一五五四頁）。

この場合の「財」とは何かとみると、この引用文の直前に、「夫《そ》れ海辺には木を財とし山中には塩を財とす、旱魃《かんばつ》には水を財とし闇中《あんちゅう》には灯を財とし」とありますからおおよその見当はつきます。そして「命」と「財」とはどちらが価値が上かというと、日蓮は「白米一俵御書」でこう書いています。

「いのちと申す物は一切の財の中の財なり、……三千大世界にみてて候財も・いのちにはかへぬ事に候なり」（一五九六頁）。

U子さん――

私はこの女性問題こそ、イスラム教徒が「仏法への理解と共感」を持ちだす突破口になる、と思えてなりません。

テロ・イラク戦争と創価学会

U子さん――

平成十五（二〇〇三）年に米国が英国を抱《だ》き込《こ》んで起こしたイラク戦争は、もとをたどれば平成十三（二〇〇一）年九月十一日に米国で起こったいわゆる同時多発テロに行き着きます。

この事件が起きた直後の九月十六日付聖教新聞で、早くも池田名誉会長は「力は正義ではない。対話を、対話を、何があろうと対話を」と訴えました。

「私たちは西洋文明を愛し、尊敬する故《ゆえ》に、文明の名に値する非暴力の道を本気で模索《もさく》してもらいたいと願う。報復《ほうふく》は報復を呼ぶ。報復の繰り返しになる。報復ではなくて侵略者やテロに対する公正な国際的裁判のシステムを。そして不信感を信頼に変える努力を。それこそがテロという暴力の崇拝《すうはい》への根本的な治療策ではないだろうか」。

さらに同月二十三日付聖教新聞では次のように宣言しています。

「われわれはイスラム世界との大いなる対話を開始することを宣言する。憎悪《ぞうお》の大火に油を注ぐのではなく、かつて無かったほどの対話の洪水《こうずい》で、火を鎮《しず》め、世界を潤《うるお》す道を選ぶ。

この惨劇《さんげき》は二十一世紀の最初の年に起こった。この二〇〇一年をわれわれはイスラム世界との対話元年としたい。それが、このような悲劇を根絶する最良にして唯一の選択であり、犠牲者を慰霊する正しい道であると信じる。

そして、犯行者に対しては、国連が中心となって、テロリストを国際的な司法の場で裁《さば》くシステムを作るべきであろう。国内で殺人事件が起こったら、犯人を逮捕《たいほ》し、きちんと裁判の手続きをし、判決、刑の執行ということになる。被害者が直接に犯人に復讐《ふくしゅう》することは禁じられている。報復で殺した者も殺人罪となる。それが長い時間をかけて人類が整《ととの》えた法による支配である。それこそ法治《ほうち》国家のはずだ。

にもかかわらず国際社会だけが今なお、そうした手続きもなく、いきなり死には死を、という復讐を認めるのはおかしい」。

U子さん——

私は彼の提言と宣言に大賛成です。この二つの発言の要点は次の三点でしょう。

第一は「対話」です。

第二は「国連を中心とした国際社会での事の処理」です。

第三は「法の支配の国際化」です。

アメリカのブッシュ政権はこの三点と正反対の道を暴走しているのです。

「法の支配の国際化」の一つの具体化が、池田名誉会長も提唱しているように、国際刑事裁判所の設置ですが、ようやく平成十五（二〇〇三）年三月十一日にオランダのハーグで同裁判所の発足《ほっそく》式が開催されました。この裁判所は、平成十五（二〇〇三）年六月四日付創価新報によりますと、①大量虐殺②人道に対する罪③戦争犯罪を犯した個人を裁くものです。すでに世界六十カ国が、同裁判所設立のためのローマ条約を批准《ひじゅん》して発効しました（平成十四年＝二〇〇二年七月一日発効）。平成十五（二〇〇三）年五月末現在で締結国九十、署名国は百三十九カ国にのぼりました。批准していない国の中にはアメリカと中国と、そして日本があります。アメリカが批准しない理由は要するに「海外派遣中の米兵が戦犯として裁かれる恐れがある」というものです。中国は「国際刑事裁判所は侵略罪の問題を解決しておらず、政治的要素による干渉をどこまで排除できるか見ておく必要がある」と言います。そして日本が批准していない理由は……アメリカが批准しないからではないでしょうか。

アメリカが批准しない理由として挙《あ》げていることは、語るにおちた、といえましょう。それはブッシュ政権が平成十五（二〇〇三）年三月十九日夜（米国東部時刻・日本時刻二十日午前）に侵攻を開始したイラク戦争が端的に示しています。この、米国が英国等ほんの一握りの国だけを従えて起こした戦争は国際法に反すると言えましょう。さらには戦争犯罪ではないでしょうか。国際刑事裁判所に訴追される恐れのある者は単に実際に侵攻した米兵だけではなく、ブッシュ大統領本人も戦犯として――あの東京裁判の例にならえばA級戦犯として――裁かれても、必ずしも不思議ではありますまい。

U子さん――

二度にわたる世界大戦、とりわけ第二次世界大戦を負《ふ》の教訓として、国際社会は「戦争は犯罪である」という原則を確立しました。国連憲章が例外的に戦争を許すのは、

①自国が攻撃された場合の自衛戦争（個別的自衛権）

②自国の同盟国が攻撃された場合の参戦（集団的自衛権）

③国連安全保障理事会の決議による戦闘行為

だけです。

米国のイラク侵攻はこの三つの要件のどれにも該当《がいとう》しません。③についてなおも言えば、国連の同意が得られないことがわかった米国は、国連を振り捨てて独断専行《どくだんせんこう》的に戦争を開始したのです。しかも米国が侵攻の大義名分の筆頭《ひっとう》とするイラクが所有しているとされた大量破壊兵器は今もって発見されていません。

そして米国こそが世界最大最強の大量破壊兵器保有国です。今や米国は一極支配的な軍事強国です。この超強力な暴力装置を背景にして、自分が気に入らない国を武力で打倒するようなことが、イラク戦争を前例として、今後も行われる危険性が大なのです。事実、シリアやイランや北朝鮮に脅《おど》しをかけています。

また、米国は、米国流民主主義をイラクに成立させるのだ、と言っています。これは革命の輸出です。私はイラクのフセイン政権がイラク人にとってよい政権だとは思いません。しかしフセイン政権を打倒するか否《いな》かは優《すぐ》れてイラク人の内政問題なので、他国が容喙《ようかい》すべきことでは断じてありません。そして考えてみれば、この革命の輸出は、冷戦時代にソ連・中国が行うものとして米国自身が厳しく批判していたことなのです。

さらに米国は、イラクの〝民主化〟は中東の諸国にドミノ（将棋倒し）的に波及する、ということもイラク侵攻・イラクへの革命の輸出の正当性としています。しかし、この「ドミノ論」もまた、冷戦時代に、ある一カ国が社会主義化すれば、近隣諸国へドミノ的に波及する、という説を強力に推《お》し進め、ドミノ的波及を阻止する名目で軍事行動に出たのも米国です。例えば唾棄《だき》すべき、そして米国民自身にとっても恥ずべきベトナム戦争が「ドミノ論」の典型です。

イラク戦争の正規戦闘そのものは一応終息したものの、当のイラクをはじめ中東地域の不安定化、したがって反米感情は強まる一方です。対米テロ・ゲリラ・レジスタンス活動が激化しています。イラクの治安状態は最悪だと言ってよいでしょう。同時多発テロの犯人と目《もく》される国際テロ組織アルカイダさえ息をふきかえしたと言うではありませんか。しかも、イラクの大量破壊兵器保有という事自体が米英の国内および国際世論操作によるものという疑いが濃くなっています。

「結局、アメリカが欲しかったものはイラクの石油だったのだ」

というのがイラク人をはじめとした中東民衆の世論になっています。そのよい証拠と申しましょうか、フセイン政権の主要建造物中、米国が破壊しなかったのは石油省の建物です。いの一番に確保したのは石油施設です。ところが、古代メソポタミア文明以来の世界的に貴重な文化財は略奪《りゃくだつ》にまかせました。博物館警護に若干の兵員と数台の戦車を配置すれば略奪は防止できたのに。

U子さん——

だから創価学会は、イラク侵攻開始の早くも翌日に、次のような野崎勲中央社会協議会議長談話を発表しました。

「長年にわたって、国際社会における懸案《けんあん》となってきたイラクの大量破壊兵器の問題が、今回、武力行使によって解決を図《はか》るという事態にいったったことは、誠に残念であり、遺憾《いかん》である。

我々は、生命尊厳を根本とする仏法者としての立場から、今回の問題に限らず、軍事力による問題解決ではなく、『対話』を中心とした外交努力などの平和的な手段による問題解決を訴えてきた。

軍事力の行使は多くの犠牲を生み出すだけでなく、将来に禍根《かこん》を残す。一日も早い終結を、強く願うものである」(平成十五年=二〇〇三年三月二十一日付聖教新聞)。

そして、U子さん――

池田名誉会長にいたっては、イラク戦争開始以前からすでに、唯一の超大国となった米国のむきだしの軍事力優先・国連無視を厳しく批判し、さらには今日の状態を予言してさえいます。それは「時代精神の波 世界精神の光」と題する「第二十八回『SGIの日』記念提言」です。そこでは次のような認識が提示されています(平成十五年=二〇〇三年一月二十六日付聖教新聞)。

「目下の〔イラク問題や北朝鮮問題等の〕緊急《きんきゅう》事態を打開していくためのイニシアチブを握っているのは、善《よ》くも悪くもアメリカであります。

そうであるだけに、テロとの戦いを〝新しい戦争〟と位置づけて以来、テロ防止のためには先制攻撃をも辞さないとする、いわゆる〝先制攻撃ドクトリン〟に象徴されるアメリカの強硬な姿勢については、世の多くの識者と同じく、私も憂慮《ゆうりょ》の念を表明せざるをえません。

たしかに、同時多発テロの衝撃はあまりに大きく、世界中の同情はアメリカの一身に集まりました。

NATO（北大西洋条約機構）諸国が、冷戦時代でさえ発動されたことのない『集団的自衛権行使』を決定し、アメリカとの共同歩調をとろうとしたことは、その証左《しょうさ》であります。しかし、周知のようにアメリカは、その国際協調のエールを無視するかたちで、イギリス軍のみを味方に、アフガニスタン攻撃へと走りました。

そこでの『成果』（カッコ付きの）は、アメリカをして国際協調主義から踵《きびす》をめぐらし、単独行動主義（ユニラテラリズム）へと、一層傾斜させてしまったらしい。地球温暖化防止のための『京都議定書』からの離脱、ABM（弾道弾迎撃《げいげき》ミサイル）制限条約の一方的破棄、CTBT（包括《ほうかつ》的核実験禁止条約）や国際刑事裁判所への不参加等々、ここ数年、アメリカの単独行動主義は目立っていましたが、最近では、その偏向《へんこう》に対し、アメリカ内外からの批判が強まっているようです」。

「たしかに、テロ行為は絶対に是認《ぜにん》されるべきものではない。それと戦うために、ある場合には武力を伴った緊急対応も必要とされるかもしれない。また、そうした毅然《きぜん》たる姿勢がテロへの抑止効果をもたらすという側面を全《まった》く否定するつもりはありません」。

「しかし、ハード・パワー、とくに軍事力が、憎悪《ぞうお》と報復《ほうふく》の連鎖《れんさ》に陥《おちい》ることなく、何らかの効果を生むとすれば、それ〔軍事力〕を保持する側に、あるいはやむを得《え》ず行使せざるをえない場合でも、そこに徹底した自制心、それ自体、ソフト・パワーの淵源《えんげん》でもある自制心、節度《せつど》が働いているかどうかにかかっていると思います」。

「いうところの『文明』とは、内なる自制心が、さまざまな姿、かたちをとって現れた外面的結実なのであります。

こうした観点から見れば、アメリカの一連の単独行動主義は、自由や人権、民主主義等のアメリカの掲《かか》げる普遍《ふへん》的理念（ナイ氏は、それらを、情報化時代の進展《しんてん》につれ、アメリカをますます魅力あらしめる可能性を秘《ひ》めた、ソフト・パワーの機軸《きじく》としております）と、どう整合性をもつのか、疑問を呈《てい》されても仕方《しかた》ないのではないか。超大国の自制を切《せつ》に望むのは、決して私一人ではないと思います。

目睫《もくしょう》の間《かん》に迫《せま》っているイラク問題にしても、たしかに、独裁政権が大量破壊兵器を支配した時の恐怖、おぞましさは、理解できます。

同時に、それを防止しようとする試みが、世界の国々に本当の説得力を持つのは、その大量破壊兵器の最大の所有者は自分たち〈=アメリカ〉であるという自覚が不可欠であり、その脅威《きょうい》を封じ込めるための国際的な管理システム、あるいは削減から廃棄を目指しての手立《てだ》てや道筋《みちすじ》といった『自制心のかたち』が示される必要があります。そうでなければ、道義的説得力を欠くといわれても反論できないでしょう」。

なお、〝先制攻撃ドクトリン〟とは「敵対国やテロ組織に対し、必要な場合は単独で先制攻撃する」という、アメリカが平成十四（二〇〇二）年九月に発表した「国家安全保障戦略」における新方針です。また、「ナイ氏」とはアメリカ・ハーバード大学ケネディースクール院長で、池田名誉会長とは旧知の仲のジョセフ・ナイです。

U子さん――

池田名誉会長はこのような認識をもっているのです。したがってイラクでの正規戦闘が一応終息した後の平成十五（二〇〇三）年五月十四日に、SGI会長としてのメッセージをパリ国際会議「寛容の教育」に寄せ、次のように提言しました（平成十五年＝二〇〇三年五月二十日付聖教新聞）。

「ナチズムの盛衰《せいすい》は、文字通り暴力一色に覆《おお》われており、ボルシェビズム〔ソ連式社会主義〕と並んで〝戦争と暴力の世紀〟を象徴する、対話や寛容とは対蹠《たいせき》的な思潮《しちょう》でした。それと訣別《けつべつ》し、『文明間の対話』で幕を開けようとした今世紀、日ならずして半世紀前と酷似《こくじ》した荒涼《こうりょう》たる時代状況に直面するとは、歴史の皮肉といわざるをえません。

イラク問題の帰趨《きすう》はまだまだ不透明であり、テロリズム、北朝鮮問題などがあり、力には力、暴《ぼう》には暴で応《おう》ずるしかない式の人類史の悲しい業《ごう》の流れは、対話や寛容の精神など、飲み尽《つ》くさんばかりであります。

だからこそ、さまざまな対症療法《たいしょうりょうほう》と同時に、『今起こっている出来事は人類の危機』と訴える哲人のマクロ的視野《しや》を踏《ふ》まえながら、自分らしく、身近な対話の一歩を踏み出していくことが肝要なのではないでしょうか」。

「今回のセッションのテーマである『信仰に基《もと》づく行動としての寛容』を、仏法者の立場に即していうならば、次のように要約できるかと思います。

すなわち、互いの差異を〝対立の原因〟にするのではなく、その差異を尊重し、切磋《せっさ》琢磨《たくま》を〝新しい価値創造への源泉〟としながら、『自他ともの幸福』を目指していく菩《ぼ》薩道《さつどう》の実践にほかならない、と」。

U子さん――

アメリカのイラクに対する、そしてイラクにおける行動はまさに、互いの差異を〝対立の原因〟と発想し、アメリカ流民主主義を押しつけています。これは「文化帝国主義」です。そして池田名誉会長は早くも平成十二（二〇〇〇）年一月二十六日の第二十五回「SGIの日」に寄せた記念提言「平和の文化　対話の大輪」で、この文化帝国主義を次のように批判しています。

「文化には、字義通り、人間の内面を耕《たがや》し、精神性を高めていく側面と同時に、民族間に摩擦《まさつ》を引き起こし、自《みずか》らの作法《さほう》を一方的に押しつけようとする侵略的側面があることを忘れてはならないと思います。『平和の文化』ならぬ『戦争の文化』であります。

文化のもつ、そうした侵略主義的側面が、凶暴《きょうぼう》な、といってもあからさまな武断《ぶだん》主義に巧妙《こうみょう》な文化的粉飾《ふんしょく》をこらしつつ牙《きば》をむいたのが、ヨーロッパ近代の植民地主義が濃密《のうみつ》に体現《たいげん》した『文化帝国主義』でした」(創価学会広報室発行本、一五～一六頁)。

U子さん――

今(二〇〇三年)からちょうど百年前、欧米帝国主義が真《ま》っ盛りの時代に、牧口常三郎は『人生地理学』を発行しました。その第二十八章「生存競争地論」において、生存競争の時代的変遷《へんせん》を、まず「軍事的競争時代」から始めて、次に「政治的競争時代」、その次が「経済的競争時代」とした上で、今後に来《きた》るべきものは「人道的競争形式」だ、としました。最後のものだけが「時代」とはせず「形式」としているのは、そのような時代が当時まだ到来していないからです。しかし、と牧口は言います

「人道的競争形式は、今日の国際間において見ることはできないけれども、生存競争の場での最終の勝者が、必ずしも経済的優勝者でないことは、現在においてもすでにある程度以上思想の発達している者には認識されているところだから、経済的闘争時代に代わって次に来《きた》るべきものは、人道的競争形式だろうということは、想像に難《かた》くない」

（聖教文庫本5、一八二〜一八三頁）。

ところが現在は、主としてアメリカの国際協調に背を向けた先制攻撃主義のせいで、最も原始的にして粗暴なる「軍事的競争時代」に一挙に逆戻りしてしまいました。まさに池田名誉会長の言う「荒涼たる時代状況」に私たちは投げ込まれたのです。

それと同時に、牧口・戸田・池田の三代会長が、同時代の思想潮流に流されることなく、一貫して人間主義を基礎とする平和と対話と寛容を唱道《しょうどう》し続けているかが、このように見てくると大変明らかになりました。

●第四章●

創価学会と国家

国家神道との闘い——思想信教の自由の擁護

U子さん——

昭和十八（一九四三）年七月六日、牧口常三郎初代会長は広宣流布活動先の静岡県加茂郡浜崎村須崎（現・下田市須崎町）で、戸田城聖第二代会長は東京都芝区（現・港区の一部）白金台町の自宅で、治安維持法違反ならびに刑法の不敬罪《ふけいざい》の容疑《ようぎ》のかどにより、当時思想信教の弾圧《だんあつ》で猛威《もうい》をふるった政治警察である特高《とっこう》（特別高等警察）に検挙《けんきょ》されました。直接の口実《こうじつ》は神宮（いわゆる伊勢神宮）に対する冒瀆《ぼうとく》・不敬行為であります。

もう少し具体的に知るために東京刑事地方裁判所検事局検事山口弘三の起訴状をみてみましょう（『全集』第十巻、三七五〜三七七頁）。

「日蓮図顕《づけん》に係る中央に法本尊たる南無妙法蓮華経及人本尊たる日蓮を顕《あらわ》し、その四方に十界《じっかい》の諸衆及妙法の守護神を配したる人法一箇十界互具《ごぐ》の曼陀羅《まんだら》を以て本尊とし、……右本尊以外の神仏に対する信仰礼拝を極度に排撃し、畏《かしこ》くも皇大神宮《こうたいじんぐう》〔伊勢神宮〕を尊信礼拝し奉《たてまつ》ることも亦《また》謗法《ほうぼう》にして、不幸の因なれば尊信礼拝すべからずと做《な》す神宮の尊厳を冒瀆するもの」であって、「昭和五年頃より昭和十八年七月六日頃迄の間、……岩本他見雄外《ほか》約五百名を折伏《しゃくぶく》入信せしむるに当り、其《そ》の都度《つど》謗法罪を免《まぬが》れんが為には皇大神宮の大麻《おおぬさ》〔神札《かみふだ》〕を始め家庭に奉祀《ほうし》する一切の神符を廃棄する要ある旨強調指導し、同人等をして何《いず》れも皇大神宮の大麻を焼却するに至《いた》らしめ、以《もっ》て神宮の尊厳を冒瀆し奉る所為《しょい》を為《な》したる等諸般《しょはん》の活動を為し、以て神宮の尊厳を冒瀆すべき事項を流布《るふ》することを目的とする前記結社〔創価教育学会〕の指導者たる任務に従事したると共に、神宮に対し不敬の行為を為したるものなり」。

　要するに神宮の神札を奉拝《ほうはい》することを拒否し、現にある神札を廃棄したことが犯罪だ、と言うのです。なお、後でも見ますが、「神宮の尊厳を冒瀆」することが治安維持法違反であり、「神宮に対する不敬の行為」が不敬罪なのです。

　U子さん――

　なぜこうしたことが犯罪になったかというと、それは大日本帝国という戦前の国家が、神宮を頂点とする神社群を物心両面で厚く保護して、「国家神道《しんとう》」を構築したからです。

統治《とうち》者である天皇は神宮の祭神である天照皇太神《あまてらすおおみかみ》の子孫であって、だから現人神《あらひとがみ》（人間であって同時に神様）であるとし、そこで統治と神道崇拝との一体化（「祭政一致《さいせいいっち》」）が国家原理となり、他の宗教の信者といえども神道神を拝み祀《まつ》ることを強制したのです。

この国家神道は日本が国家主義化、さらには軍国主義化するにつれて強化されます。

例えば刑法上の不敬罪も、明治十三（一八八〇）年に公布された段階では、天皇、皇后・皇太后《こうたいごう》・太皇太后《たいこうたいごう》、皇太子、皇陵《こうりょう》、皇族に対して「不敬ノ所為《しょい》アル者」を罰したのですが、明治四十（一九〇七）年の改正では、皇陵と同列に神宮が不敬罪の対象に追加されたのです。つまり天皇らに対する不敬と同罪で皇族への不敬よりも重罪なのです。

また治安維持法も二度改正されました。大正十四（一九二五）年に立法された時は「国体若《もしく》ハ政体ヲ変革シ又ハ私有財産制度ヲ否認スルコト」が処罰の対象だったのですが、昭和十六（一九四一）年の二度目の改正法には、新たに「国体を否定シ又ハ神宮若ハ皇室ノ尊厳ヲ冒瀆スベキ事項ヲ流布スルコト」が罪となりました。これが牧口らの弾圧に使われたのです。その罪の重さは「無期又ハ四年以上ノ懲役」です。

U子さん――

では、この「国体」とは何か、それと国家神道との関係は、と言いますと、それを明らかにしてくれている文書があります。昭和十二（一九三七）年三月に政府（文部省）が発刊した『國體《こくたい》の本義《ほんぎ》』です。それには以下のことが〝説諭《せつゆ》〟されています――

(1)大日本帝国は、万世一系《ばんせいいっけい》の天皇、神勅《しんちょく》を奉《ほう》じて統治し給《たも》う。これ、わが万古不易《ばんこふえき》の国体である。

(2)天皇は天照皇太神の御子孫であり、皇祖皇宗《こうそこうそう》の神裔《しんえい》である。

(3)天皇は祭祀《さいし》によって、皇祖皇宗と御一体とならせ給《たま》い、皇祖皇宗の御精神に応《こた》えさせられ、その治《しろ》しめされた蒼生《そうせい》〔人民〕のいよいよ撫育《ぶいく》し栄えしめ給わんとせらる。

(4)したがって教育も、その根本においては、祭祀および政治と一致するところであって、すなわち祭祀と政治と教育とは、それぞれの働きをなしながら、その帰するところは全《まった》く一つとなる。

U子さん――

そしてこの年は、日中戦争が始まった年です（七月七日勃発）。戦争勃発《ぼっぱつ》後の八月二十四日に政府は、「挙国一致・尽忠報国・堅忍持久《じんちゅうほうこく・けんにん》」を三大スローガンとする「国民精神総動員実施要綱」（傍点は村尾）を閣議決定しました。あからさまな思想統制です。

さらに昭和十四（一九三九）年四月八日に宗教団体法が公布されました。同法の国会審議過程で政府側（文部省宗教局長）は次のように説明しています。

「若《も》シモ宗教団体或《あるい》ハ教師等ガ、教義上カラ我ガ国ニ於《お》テ神社参拝ヲ拒《こば》ムヤウナ、或《あるい》ハ人ヲ参拝サセナイヤウナ、若シサウ云フ不料簡《ふりょうけん》ナ真似ヲスルヤウデゴザイマスレバ、ソレハ明カニ安寧《あんねい》秩序ヲ紊《みだ》ル者デアル、少クモ公益ヲ害スルト云ツタヤウナコトニ相成《あいな》ラウカト存ジマスルノデ、其《そ》ノ点ハ一ツ厳《げん》ニ本法ニ依《よ》ツテ律シテ行キタイ」（『全集』第十巻、三四九頁）。

このように、信教の自由の弾圧の意図をむき出しにしています。「安寧秩序」云々は、後で見ます大日本帝国憲法第二十八条違反だ、と政府は言いたいのです。それほど体制の根幹にかかわる犯罪だ、と政府は認識したのです。

U子さん――

神宮の神札を祀《まつ》り拝《おが》むことの強制も強まります。太平洋戦争が開始される（十二月八日開戦）昭和十六（一九四一）年の八月、前年の十一月九日に設置された内務省神祇院《じんぎいん》という国家神道の最高官庁は『神宮大麻の奉斎《ほうさい》について』を作成し、「以後、大麻（神札）奉斎拒否の動きを弾圧する事件が多く見られるようになる」のです（創価学会刊『三代会長年譜』上巻、一四七頁）。牧口初代会長らに対する弾圧はその一環とも言えましょう。

軍国主義国家の原理的イデオロギーとの全面対決

しかし、U子さん――

牧口初代会長らの検挙の国家側の動機を、神宮の神札を祀り拝むことの拒否だけとしてはならないと思います。

特高警察の元締《もとじ》めである内務省警保局保安課の内部極秘資料『特高月報』昭和十八（一九四三）年七月分掲載の「創価教育学会本部関係者の治安維持法違反事件検挙」の中で次のようなことが記されています。

「〈創価教育学会〉会長牧口を中心とする関係者等の思想信仰には幾多不逞不穏《いくたふていふおん》のものありて、予《かね》てより警視庁、福岡県特高課に於て内偵中の処《ところ》、牧口会長は信者等に対し『天皇も凡夫《ぼんぷ》だ』『克《よ》く忠になどとは天皇自《みずか》ら言はるべきものではない。教育勅語《ちょくご》から削除《さくじょ》すべきだ』『法華経、日蓮を誹謗《ひぼう》すれば必ず罰が当る』『伊勢神宮など拝む要はない』等不逞教説を流布《るふ》せる」（『全集』第十巻、三七一頁）。

これからわかることは、神宮問題は「不逞教説」の一部でしかない、ということです。そして「天皇も凡夫だ」「克く忠になどとは天皇自ら言はるべきものではない。教育勅語から削除すべきだ」といった類《たぐい》のことは戦前の国家の原理的イデオロギーに反することなのです。この点にこそ牧口らに対する弾圧の中心的な動機があったのだと思います。そこで以下、こうしたことについて述べていきます。

U子さん――

アジア太平洋戦争に日本が敗れて間もない昭和二十一（一九四六）年一月一日の昭和天皇のいわゆる「人間宣言」まで、天皇は現人神《あらひとがみ》というイデオロギーが国家の原理であり、国民の頭脳を支配していました。これと表裏にあるイデオロギーが「日本は神国」

でした。

ところが牧口は、常々公言していただけではなく、特高の取調官に向かってさえ、堂々と「天皇陛下も凡夫であって……間違いも無いではない」（同、二〇三頁）と明言したのです。凡夫とは煩悩に束縛された平凡な人間という意味であって、これは天皇の神格化・絶対化と発想の百八十度逆転です。

U子さん――

明治以降の教育の基本法であったばかりではなく、そもそも倫理道徳の基本法でもあった、さらには国家神道のいうなれば教義ともなった教育勅語（明治二十三年＝一八九〇年十月三十日発布）の最重要のキーワードは、

「我ガ臣民克《よ》ク忠ニ」

です。つまり忠君――天皇に対し忠義を尽《つ》くすこと――でした。だから先にみた「国民精神総動員実施要綱」の三大スローガンの中に「尽忠」があったのです。

ところが牧口はこれに対して、

「陛下御自《おんみずか》ら臣民《しんみん》に対して忠義を尽せと仰《おお》せられる事は、かえって、陛下の御徳を傷付

けるもの」（同上）
と強い異論を唱《とな》えたのです。この異論の基礎には彼独特の忠君論があります。それは大正元（一九一二）年十一月二十三日に発刊された大著『教授の統合中心としての郷土科研究』で示されています。すなわち――

「天皇の大権というのは何の目的で発動せられているか、ということをさらに切り込んで観察すると、ここに初めて天皇の国家に対する位置というものが子供の頭に了解されうることであろうと思われます。

天皇陛下が日常の御政務というもの、およびその御親任を戴《いただ》いて輔弼《ほひつ》の任に当たる国務大臣、その指揮監督を受けて働いている幾多《いくた》の文武《ぶんぶ》百官、それらの関係というものは、あたかも我々の手足や目や、耳や、口や鼻などが脳髄《のうずい》なる中枢《ちゅうすう》の命令を守って活動しているようなものであることを認識させることができましょう。大権の発動するその主体である天皇陛下はこれらの文武百官なる機関をとおして活動する、その理由は決して天皇御自身の為にするのではなくて、全く国家全体の御頭首となり主人公となって、下万《しもばん》民《みん》の為にお尽くし遊ばされているのである」（『全集』第三巻、三二五～三二六頁）。

「小学一年生からすでに修身〔道徳教育〕で天皇陛下・皇后陛下の御事蹟《ごじせき》が出ており、これに対して人民が常に忠義を尽くさなければならぬということが出ていますが、以上のような君主と国家の関係、国家とわれわれ人民の関係という点を了解する時に、初めて真の意味ある忠君愛国の思想が起こってくるべきはずのものであると思います」（同、三二六頁）。

要するに、天皇が仁政《じんせい》、つまり人民のために尽くしているならば、しかもそれが小学一年生にもわかるようなものであるならば、人民の心の中に忠君という気持ちが自然と醸《かも》しだされてくるのだ、ということです。人民が天皇に忠義を尽くすだけの〝一方通行〟ではなくて、仁政の返報としての忠君、という〝双方向通交〟というのが牧口の主義なのです。

だから、これを裏返せば、天皇が仁政を施《ほどこ》さなければ――仁政だと子供でも納得《なっとく》できるようにしなければ――人民は忠義でなくてよい、ということになります。まして、仁政という実感をもたせないままで頭から一方的に、いわんや、天皇自身の方から、人民に、とくに子供に「忠義を尽くせ」と押しつけるなんて、とんでもない、と言うのです。

これは現在においても革命的な忠君論です。ましてや教育勅語が〝活《い》きていた〟当時においては〝国賊《こくぞく》〟です。だから国家権力、しかも軍国主義化していた時の権力は牧口を、さらには戸田第二代会長らを、どうしても弾圧せざるをえなかったのです。

U子さん――

軍国主義といえは、牧口らが逮捕された当時は〝大東亜《だいとうあ》戦争〟、つまりアジア太平洋戦争の真っ盛りでした。「この戦争は神国日本が不遜《ふそん》な中国を懲罰《ちょうばつ》し、鬼畜《きちく》米英を征伐《せいばつ》する聖戦《せいせん》だ」ということが国家のタテマエであり、国民にそう信じ込ませようと必死になっていた時代です。だから反戦思想・運動はもちろんのこと、戦争に少しでも疑問をもつことは容赦《ようしゃ》なく弾圧されました。

ところが牧口は、「現在の日支事変《にっしじへん》や大東亜戦争等にしても、その原因はやはり〔日本が〕謗法《ほうぼう》国〔仏法をそしる国〕であるところから起きていると思います」（『全集』第十巻、二〇一～二〇二頁）と、弾圧の尖兵《せんぺい》である特高に向かって、この国家のタテマエをばっさりと切って捨てたのです。これでは当時の国家からすると〝国賊〟以外のなにものでもありません。

戸田も、牧口の最大最愛の弟子であることから当然にも、この「大東亜戦争聖戦論」を真っ向から批判しました。

「昭和十六年（一九四一年）か、十七年というから、太平洋戦争の開戦《かいせん》の、前後である。ある関東軍《かんとんぐん》〔満洲《まんしゅう》を支配していた日本陸軍の大軍団〕の軍人《ぐんじん》が、新潟《にいがた》で大陸行きの船を待っていた。しかし、嵐《あらし》で船が出ない。旅館《りょかん》でひとり退屈《たいくつ》していたら、『一緒《いっしょ》に飲《の》みませんか』と声をかけてきた人がいる。

長身で、和服姿《わふくすがた》。厚《あつ》いメガネのその人を、軍人は『どこかの大学の先生かな』と思った。それが、所用《しょよう》で来ていた戸田先生であった。

当時、『創価教育学会』の理事長。たくさんの事業も手がけて多忙《たぼう》であった。

二人の話は、日本軍の戦いに及んだ。当時、日本の中国侵略《しんりゃく》は、『聖戦《せいせん》』と呼ばれていた。しかし、戸田先生は語った。

『それは、中国にとってもいえることじゃないのですか？　日本の対支作戦《たいしさくせん》（中国に対する作戦）のみが聖戦で中国の対日作戦がそうではないとする論理《ろんり》は成《な》り立《た》たない。そうでしょう？　あそこには四億《おく》の民が暮《く》らしているんですよ。その人たちの生活を破壊《はかい》する聖戦などというものがあり得るでしょうか。聖戦は四海《しかい》（全世界）絶対平等《ぜったいびょうどう》と平和、生命の尊厳《そんげん》を犯《おか》すものに対して敢然《かんぜん》と立ち上がる場合にだけ使われる言葉です』

軍人《ぐんじん》は、戸田先生の言葉に、ほおを殴《なぐ》られたような衝撃《しょうげき》を受けた。

それからも、夜明け近くまで、いろんな話をして、最後に軍人は言った。

『大変有益《ゆうえき》なお話をうかがいました。だが、戸田先生、これが私だからいいようなもの、他の将校《しょうこう》だったら多分先生は憲兵隊《けんぺいたい》行きでしょう。これからもお気をつけ下さい』

戸田先生は笑《わら》いながら、『これを読んで下さい』と二冊《さつ》の本を贈《おく》った。

牧口先生の『創価教育学体系』の第一巻、第二巻だった。戸田先生の絶大《ぜつだい》な協力によって出版されたものである。師弟一体《していいったい》の結晶《けっしょう》の書であった」（第三文明社刊『池田名誉会長が語る　恩師戸田城聖先生』、四四一～四四二頁）。

この戸田第二代会長にかかわるエピソードからもわかるように、また、すでに詳《くわ》しくみたように『人生地理学』・『創価教育学体系』以来一貫して、牧口・戸田両会長、ひいては創価学会は反戦平和を唱《とな》え続けてきたのです。他方、日本軍国主義国家は、軍部政権にまで煮詰《につ》まっていましたから、反戦・反軍は厳《きび》しいご法度《はっと》でした。だから「憲兵隊行き云々《うんぬん》」が端的《たんてき》に物語っているように、牧口初代会長以下の思想と行動は国家権力にとって絶対に免《ゆる》せなかったのです。

ここで注釈をしますと、「憲兵隊」とは元来は軍人の違法行為を取り締まる軍事警察なのですが、当時は役割が肥大成長し、「国内の安寧《あんねい》を拿《つかさど》る」という憲兵条例の条文を〝活用〟して、反国体・反戦・反軍等およそ体制に逆《さか》らう思想・運動を弾圧するようになり、その取り調べは、過酷《かこく》なことで悪名の高い特高警察にも優《まさ》る苛烈《かれつ》なものでした。

U子さん――

日本の軍国主義は全体主義でもあります。だから「個」を尊重することは、〝個人主義〟として厳しく否定《ひてい》されました。ところが牧口は、その正反対だったのです。

このことは、先にみた彼の善の価値論からも言えることですが、さらに次のように端的に言っております。

「すなわち国民あっての国家であり、個人あっての社会である。個人の伸長発展《しんちょうはってん》はやがて国家社会の繁栄《はんえい》であり、充実であり、拡張《かくちょう》であり、これに反して個人の縮小《しゅくしょう》はすなわち国家の衰微《すいび》であり、勢力の減退《げんたい》である」（前掲『創価教育学体系』Ⅰ、一三八頁）。

したがって、戦前において当然の倫理《りんり》とされていた「滅私奉公」にも彼は大反対なのです。昭和十六（一九四一）年四月二十日に開催された創価教育学会臨時総会で、「国家のスローガンである『滅《めっ》私《し》奉公《ほうこう》』を否定し、自他共に幸福になることが正しいと主張」したのです（第三文明社刊『年譜　牧口常三郎・戸田城聖』、一〇三頁）。

U子さん――

昭和軍国主義国家は、およそ民権を圧殺する重圧国家でした。思想・良心・信教・集会・結社・表現・学問の自由といった基本的人権を容赦《ようしゃ》なく蹂躪《じゅうりん》しました。ところが牧口は、すでに明治時代に、「これらの自由は神聖にして侵《おか》す可《べ》からず」という認識を表明したのです。戦前において神聖不可侵《しんせいふかしん》とされていたのは天皇でした。すなわち大日本帝国憲法第三条は、「天皇ハ神聖ニシテ侵スヘカラス」と明定していました。

そして基本的人権は制限付きで認められていたにすぎません。例えば――

「日本臣民《しんみん》ハ安寧《あんねい》秩序ヲ妨《さまた》ケス及《および》臣民タルノ義務ニ背《そむ》カサル限ニ於《おい》テ信教ノ自由ヲ有ス」（第二十八条）

「日本臣民ハ法律ノ範囲内ニ於テ言論著作印行集会及結社ノ自由ヲ有ス」（第二十九条）

これに対して牧口は、「国家の職能」中の「国民の権利自由に関する活動」として、「一には国民相互の間に生じる妨害《ぼうがい》に対して、個人の権利を認め、その自由を保護するものにして、他は国家の発動機関である政府の侵害に対して、個人の権利を認め、その自由を神聖侵すべからざるものとするだけでなく、個人に対して、政治的権利（参政権）を保証し、かつ両者ともにその権利を行使し、また強行する方法を与えることである」（前掲『人生地理学』5、一五～一六頁）

と記しています。この場合の自由は、彼によれば「良心の自由、思想の自由、言論の自由、宗教の自由、および政治・宗教・教育等の目的のためにする個人結社の認許等は、その主たるもの」（同、一六頁）なのです。

そして「政府」は個人の権利を侵害する危険性のあるものという認識が示されています。これが、創価学会の反権力的姿勢、最低でも国家権力に対する警戒心の原点です。

U子さん――

このように牧口初代会長、戸田第二代会長、ひいては創価（教育）学会は、神宮の絶対的尊崇《そんすう》を含めた軍国主義国家の原理的イデオロギー総体と全面的に対立したのです。ここに、時の国家権力が牧口らを弾圧した根本的な動機があるのです。

教育基本法改正への疑義申し立て

U子さん——

敗戦によって、刑法の不敬罪も治安維持法も廃止されました。大日本帝国憲法も改正されて、新憲法になりました。と言うより、大日本帝国という国家体制が崩壊したのです。天皇も唯一の神的統治者から象徴へと革命的に変身しました。だから創価学会の闘いは終わった、かと言うとそうではありません。大小の権力の民権侵害は今なおあります。とくに近年は、国家権力の欲望を国民の権利に優先させようとする国家主義的動き、日本を現行憲法的規制から〝自由な〟軍事大国化させようとする動き、それらと表裏《ひょうり》の関係にあるところの戦前回帰《かいき》の風潮が濃厚なのです。朝鮮半島の植民地化や中国への侵略を悪と評価しない、いわゆる「歴史認識」問題もこの風潮の一つです。そして教育基本法改正が日程に上がってきたこともそうです。

教育基本法改正論者は、例えば「国を愛する心」やら「公共心」やらを改正の目玉にしようとしています。

愛国心も公共心も、抽象的に考えたら異論の出ないところです。しかし、その具体的中身《なかみ》を考えますと、そこには大きな対立が生じます。そして大事なのは抽象的概念ではなく、愛国とは、公共とは具体的にどういうことなのか、ということです。

愛国心から始めましょう。これまで見たように、牧口初代会長と戸田第二代会長は、当時の国家の価値観からすると、愛国者ではありませんでした。〝国賊〟〝非国民〟でした。しかし、今から思えば、牧口たちこそ真の愛国者、しかも熱烈な愛国心の持ち主だったことがわかります。牧口たちの思想と行動を愛国的と評価するか、それとも国賊的と評価するかで、愛国とは何か、という概念規定が劇的に相違します。

そして改正論者は、牧口初代会長・戸田第二代会長らを、少なくとも愛国的ではない、と評価する立場の人々でしょう。

公共心にしても、「全体」と「個人」の関係を、牧口の善の価値論のような認識をしないと、それは簡単に「滅私奉公」・「全体主義」に転《ころ》げ込《こ》みます。

だから、U子さん――

牧口・戸田二代会長と師弟不二《ふに》の関係にある後継者の池田名誉会長は『「教育のための社会」を目指して――21世紀と教育』と題する『所感』を公《おおやけ》にしました。私の手元にあるそれは創価学会広報室が平成十二（二〇〇〇）年十月二十日に発行したものです。

そこでは次のようなことが述べられています。

「私は『教育基本法』の見直しについては、拙速《せっそく》は慎《つつし》むべきだと思っております。前文や一条に謳《うた》われた理念は、それ自体文句《もんく》のつけようのないものですし、また条文に郷土や伝統、文化等の文言《もんごん》を盛《も》っても、それだけでさしたる実効が期待できるとは思えません。

まして『教育勅語』の徳目《とくもく》の復権《ふっけん》など、それらが戦前の天皇制、家父長《かふちょう》制のもとでどのような役割を演《えん》じてきたかを考えるなら、時代錯誤《さくご》以外の何ものでもないでしょう。

総じて、私は、文部省が音頭《おんど》をとり続けてきた官僚《かんりょう》主導型、政治主導型の近代日本の教育制度のあり方は、そろそろ限界にきているように思います。

戦前の富国強兵《ふこくきょうへい》であれ、戦後の経済大国であれ、欧米先進国を目標に追いつき追いこせという〝キャッチ・アップ〟を至上命題《しじょうめいだい》としてひた走ってきた近代日本のあり方、そして常にその目標達成のために教育はいかにあるべきかという観点からの位置づけを強いられてきた明治以来の教育のあり方は、明らかに行《い》き詰《づ》まっており、工業化から情報化時代への変貌《へんぼう》とともに、軌道《きどう》修正を余儀《よぎ》なくされているからであります。

そこで、私は、二十一世紀の教育を考えるにあたり『社会のための教育』から『教育のための社会』へというパラダイムの転換《てんかん》が急務《きゅうむ》ではないかと、訴《うった》えておきたいのであります」（一〇～一一頁）。

「人間生命の目的そのものであり、人格の完成つまり人間が人間らしくあるための第一義的要因であるはずの教育が、常に何ものかに従属《じゅうぞく》し、何ものかの手段に貶《おとし》められてきたのが、日本に限らず近代、とくに二十世紀だったとはいえないでしょうか。

そこでは、教育とりわけ国家の近代化のための装置《そうち》として発足《ほっそく》した学校教育は、政治や軍事、経済、イデオロギー等の国家目標に従属し、専《もっぱ》らそれらに奉仕《ほうし》するための〝人づくり〟へと、役割を矮小化《わいしょうか》され続けてきました。

当然のことながらめざされたのは、人格の全人的開花《ぜんじんてきかいか》とは似ても似つかぬ、ある種の〝鋳型《いがた》〟にはめ込まれた、特定の人間像でありました。

教育の手段視は、人間の手段視へと直結《ちょっけつ》していくのであります」（一一一頁）。

「卓越《たくえつ》した教育者でもあった創価学会の牧口常三郎初代会長は、教育の目的は一にも二にも『子どもの幸福』にあることを力説《りきせつ》してやみませんでした。

牧口教育学といえば、今や世界的な脚光《きゃっこう》を浴《あ》びつつありますが、初代会長は、戦前の軍国主義下で『皇国少年《こうこく》』『軍国少年』をどう育成するかに教育機関が総動員《そうどういん》されていたころ、時流《じりゅう》に抗《こう》して『子どもの幸福』こそ第一義《だいいちぎ》とされるべきだと断《だん》じ、教育勅語などにしても『人間生活の道徳的な最低基準を示されているにすぎない』と喝破《かっぱ》していました」（一一五頁）。

したがって名誉会長はロシア・モスクワ大学サドーヴニチィ総長との対談で（平成十五年＝二〇〇三年六月十八日付創価新報）、

「『国家』があって、『教育』があるのではなく、『教育』があって『国家』があるのです。

教育は『人間』という骨格をつくる。その人間があって、社会があり、産業も行政もある。

人々が〝政治・経済が第一で、どこか、その側面《そくめん》か背後《はいご》に教育はある〟と思いがちなのは本末転倒《ほんまつてんとう》です」

と語るのです。

U子さん――

また、名誉会長は二十一世紀の開幕を記念した『教育力の復権へ――内なる「精神性」の輝きを』という『教育提言』を行っていますが（平成十三年＝二〇〇一年二月一日、創価学会広報室）、そこにはこうあります。

「近年、青少年をめぐる問題が深刻化する中で、社会に規律《きりつ》を取《と》り戻《もど》そうと、宗教を公教育の場に持ち込もうとする復古《ふっこ》主義的な色彩《しきさい》をもった動きなどが一部でみられますが、私は、戦前の日本が犯《おか》したような、内心《ないしん》の自由や信教《しんきょう》の自由を踏《ふ》みにじる『宗教教育の強制』という愚行《ぐこう》は、断《だん》じて繰《く》り返《かえ》してはならないと強く訴えておきたい。

私ども創価学会の人権闘争《じんけんとうそう》の原点は、国民から精神の自由を奪《うば》い、戦争に駆《か》り立《た》てようとした軍国主義ファシズムに、断固《だんこ》として戦い抜いた牧口初代会長と戸田城聖《とだじょうせい》第二代会長の精神闘争にあります」(八一〜八二頁)。

「ゆえに私は、憲法が定める『信教《しんきょう》の自由』は絶対にゆるがせにしてはならないものであり、その原則を突《つ》き崩《くず》す公教育における『宗教教育』の導入、つまり、教育基本法が禁じる『特定の宗教のための宗教教育』の実施には強く反対するものです。もちろん、国公立の学校とは別に、私立の学校においては、それぞれの教育方針や教育理念に沿《そ》った形で、宗派《しゅうは》教育を含めた宗教教育を行《おこな》うことは認《みと》められており、子どもたちの『信教の自由』が保障される限りにおいて問題はないことは、改めて申すまでもないことです。なお付言《ふげん》しておけば、私が創立した幼稚園から大学までにいたる創価教育の一貫《いっかん》教育の学校では、私学ではありますが宗教教育は行っておらず、授業のカリキュラムの中にも一切《いっさい》盛《も》り込《こ》まれておりません」(八二〜八三頁)。

U子さん――

この『所感』と『対談』と『提言』の底に流れるものは、教育を、そして宗教を国家権力の手段から解放しよう、という熱烈な信念です。

そこで次には、国家ないし政治と宗教との関係を創価学会はどのようにとらえているかをみてみましょう。

創価学会と政治

U子さん――

日本国憲法第二十条第一項《こう》には「いかなる宗教団体も、国から特権を受け、又は政治上の権力を行使してはならない」との規定があります。

これは戦前の国家神道《しんとう》に対する痛切な反省から生まれたものです。後段の「政治上の権力云々」も同様に、宗教が国家権力の手段・機関化したことに対する強い反省から生まれたものです。第二項の「何人も、宗教上の行為、祝典、儀式又は行事に参加することを強制されない」も同じで、戦前は強制されたのです。このことは、先にみた宗教団体法案審議過程での政府側の説明からもわかります。そして手段・機関化したものの典型はもちろん神道《しんとう》ですが、しかし神道だけではありません。他の宗教も程度の差こそあれ国家権力の走狗《そうく》となりました――そうならないものは解体されましたから――。少なくとも顎《あご》で使われる身になりました。創価学会と一時密接な関係にあった日蓮正宗《しょうしゅう》（総本山大石寺・静岡県所在）もそうなのです。

U子さん――

こうした、宗教の国家からの解放が立法趣旨《しゅし》ですから、宗教団体が政治に参加・関与することを禁じているわけではありません。これは内閣法制局を含めた憲法解釈の定説です。参政権は基本的人権なのです。だから宗教団体は自由に参政してよいのです。

もちろん、宗教宗派によっては政治に関与しないことを宗是《しゅうぜ》とするものもありましょう。さらには政治から逃避《とうひ》しているものもありましょう。ところが創価学会はそうではありません。

すでにみましたように、牧口初代会長以来の価値論とは人間の幸福を実現することです。そして人間の幸福には政治が大いに関係するのです。創価学会とは何か、をひと言で言えば「仏法を基調とする平和・文化・教育の運動体」ですが、これは政治と深く切り結むすぶ運動領域であることは多言を要しません。だから、政治に無関心ではいられません。無関心でいられないどころか、積極的に参政せざるをえません。

創価学会（員）の主要な活動の一つである広宣流布《こうせんるふ》、つまり仏法・創価思想を弘《ひろ》めることですが、この「広宣流布とは、一個の人間の人間革命を機軸《きじく》にした、総体革命なんです。仏法の生命尊厳の哲理と慈悲の精神を、政治、経済、教育、芸術など、あらゆる分野で打ち立て現実化していく作業ともいえます」（『新・人間革命』、平成十五年＝二〇〇三年一月十七日付聖教新聞。なお傍点は村尾の加筆）。

こうも言えます。「『広宣流布』とは、文芸も、教育も、政治も、すべてを人間のためのものとして蘇《よみがえ》らせる、生命復興の戦いなのである」（『新・人間革命』、平成十五年＝二〇〇三年四月二十五日付聖教新聞。なお傍点は村尾の加筆）と。

そして、前にも引用した創価新報の「ハニーのフレッシュ問答」（平成十五年＝二〇〇三年五月七日付）でも、こう説《と》かれているのです。

「社会に貢献し、平和のために尽《つ》くす人間を育《はぐく》んでいくことこそ、宗教の大きな使命じゃないでしょうか。現実の社会に積極的にかかわろうとせず、信徒に単なる心の平安とか死後の救《すく》いだけを願わせるような宗教は、かえって人間を小さく弱くしてしまいます」。

「創価学会は、その信仰を通して一人ひとりが人間革命を成《な》し遂《と》げ、社会を変革し、世界をよりよい方向に変えていけることを世界に教えてきたのです」。

U子さん――

創価学会と政治の関係で、世間が一番気にしていることは、創価学会が公明党に権力をとらせて、国民に仏法・創価思想を強制し、ほかの宗教を排斥《はいせき》するのではないか、ということです。これは悪意から発したものか否《いな》かをとわず、誤解です。

「――たとえば〔創価〕学会は、公明党に天下を取らせて、やがて憲法を変え、『日蓮正宗を国教化』しようとしているのである。

これは、学会を批判する『常套句《じょうとうく》』のように言われてきたが、山本伸一〔池田大作〕が、これまで何度も、公式の場で明確に否定してきたことであった。

そもそも、学会は、世界の広宣流布《こうせんるふ》をめざしているのに、どうして日本の国教にする必要があるのだろうか。

昭和四十二（一九六七）年五月三日の本部総会でも、この問題について、こう明言している。
『日蓮正宗を国教化して国立戒壇《こくりつかいだん》を建てるのではないか等々の論評は、的《まと》はずれの感情論であり、ことごとく、仏法を全《まった》く知らない妄評《もうひょう》であり、憶測《おくそく》にすぎない』」（『新・人間革命』、平成十五年＝二〇〇三年六月五日付聖教新聞）。

U子さん――

逆にいうと、国民に日蓮仏法を強制するということは牧口・戸田の二代会長が死を賭《と》して戦った国家神道の仏教版でしかありません。これは両会長に対する裏切りです。だから池田名誉会長は、他の宗教の信徒、さらには無神論者でも、その思想信教の自由を権力が抑圧するならば、創価学会は断固《だんこ》としてそれらの人々を擁護《ようご》する、と明言しています。

「〈牧口・戸田〉両会長の精神を受《う》け継《つ》いだ私も創価学会の社会的使命の一つはそこ〈思想信教の自由擁護〉にあると考え、行動を貫《つらぬ》いてきました。その信条を私は二十七年ほど前、年一回の本部総会の講演で、こう決意を披歴《ひれき》したことがあります。
『私どもの信教《しんきょう》の自由を守り抜くことは当然として、さらにたとえ私どもと異《こと》なった思想、意見をもった人々であったとしても、もしその人たちが暴虐《ぼうぎゃく》なる権力によってその権利を奪われ、抑圧《よくあつ》されそうな時代に立《た》ち至《いた》ったときには「人間の尊厳《そんげん》の危機」を憂《うれ》えて、断固、それらの人々を擁護してゆくことを決意しなければならないということです。たとえば、他宗教の人であれ、また宗教否定の思想をもつ人であったとしても、これらの人を守りたい。これこそが人間の尊厳を謳《うた》いあげた仏法がもっている理念の帰着《きちゃく》であるからであります』」（前掲『教育提言』、八二頁）。

U子さん――

以上のことの世界版が創価学会の国際組織であるSGI（創価学会インタナショナル）の活動目的の規定の仕方です。SGIはキリスト教のように他国の植民地化を導く露払《つゆはら》い的な行動を――文化帝国主義的行動を――絶対にしない、とするのです。

創価学会では、よく「仏法即《そく》社会」と申します。このキーワードは創価学会の積極的参政の根拠の一つでもありますが、もう一つは「社会貢献」と言い換《か》えられます。

だからSGIについても池田名誉会長は「池田SGI会長の地球紀行」（平成十五年＝二〇〇三年六月二十二日付聖教新聞）で次のように明言しています。

「『どこまでも、その国のために』がSGIの永遠の精神である。その国に住《す》む人々が幸福になり、よき市民となり、自分たちの社会に貢献するために、仏法はある」。

U子さん――

これで、創価学会が国家仏法化・文化帝国主義と無縁《むえん》であることが明らかになったでしょう。

●第五章●

創価教育の特色

教育の目的は学ぶものの幸福

U子さん――

前章で、創価学会の教育観を、政治との関連で、やや詳《くわ》しくみましたが、なんと言っても創価学会はまずは創価教育学会として出発したのですし――敗戦後学会を再建するに当《あ》たって、戸田第二代会長は昭和二十一（一九四六）年三月に学会の名称を創価学会と改め、自らその理事長に就任《しゅうにん》しました（前掲『三代会長年譜』上巻、二五三頁）――、創価論＝価値論も最初は牧口初代会長の『創価教育学体系』の第二巻として展開されたものですから、ここで創価教育の特色をかいつまんで書いておきます。

創価教育の第一の特色は「被《ひ》教育者（児童生徒学生といった教育を受ける者）をして幸福な生活を遂《と》げさせるように指導するのが教育である」としていることです（前掲『創価教育学体系』Ⅰ、一四九頁）。

これを牧口式に言い換えますと、「教育の目的は被教育者の価値創造の能力を涵養《かんよう》すること」なのです（同、二二九頁）。なぜ言い換えられるかといえば「幸福な生活とは畢竟《ひっきょう》価値を遺憾《いかん》なく獲得《かくとく》し実現した生活のこと」だからです（同、Ⅱ、二一〇頁）。

U子さん――

牧口は彼の教育目的論をさらに次のように展開します。

「教育者や教育を希望する父母などが、自分の生活の欲望の為《ため》に、被教育者を手段にするのではなく、被教育者それ自身の生活を教育活動の対象とし、その幸福を図《はか》ることをもって教育の目的とするのである」（同、Ⅰ、一四九頁）。

「〔ところが〕ある論者は国家の為といい、またある者は父母の為という。しかしそれは果して子どもを愛する父母の純真率直《そっちょく》な希望だろうか。真に子どもを愛する父母ならば、決して子どもを自分の幸福の手段とは考えまい。……あの大岡裁判《おおおかさいばん》における実母と養母とが一人の子どもの取り戻《もど》しをしたという話はその好例で、養母は子どもを奪《うば》うことを第一義として、子どもの生命を顧《かえり》みないのに反して、実母は子どもの生存を第一義として、取り戻すことを第二義としている。また社会が被教育者に対する態度はまさに父母がその子に対するのと同じ関係であるべきである。社会のみの利益を慮《おもんぱか》って、被教育者をその手段視することは結局二者ともに破滅《はめつ》の淵《ふち》に臨《のぞ》むものである。社会が要求する目的は同時に個人が伸《の》びようとする目的と一致せねばならない」（同、一三八頁）。

この後に、前章で引用した「国民あっての国家、個人あっての社会」という規定が出てくるのですが、ここに示された社会と教育との関係は、まさに、これまた前章で引用した池田氏の「社会のための教育から教育のための社会へ」という提言と一致します。

徳育は知育の一部

U子さん――

教育を体系づける時、普通は知育・徳育・体育の三本立てにします。ところが牧口初代会長は、知育・体育の二本立てにし、徳育は知育の一部とするのです。これが創価教育の第二の特色です。この牧口説をやや詳しくみましょう。

「知育、徳育、体育の三つの区分は、教育学上ほとんど自明の理のようにみなされていて、それは科学者にも、実際家にも、疑念を差し挟《はさ》む余地のないように権威《けんい》をもっている。したがってこれ〔三区分〕を基幹《きかん》として、幾多《いくた》の手段が講《こう》じられ、施設《しせつ》が施《ほどこ》され、教科の選択《せんたく》・学科の配当にまで及《およ》んでいる。

だが子細《しさい》に精査《せいさ》して、それらが学問上必然の道理に基《もと》づいているか否《いな》かを詮索《せんさく》してみると、いかに思索《しさく》をしてみても、その区分の要点を見いだすことに苦しみ、また実際上の価値からみても、どんな必要があっての区分であるのか判断に苦しまざるをえない。なるほど外観上は整然《せいぜん》たる体系らしいところもあり、永《なが》い間の伝統《でんとう》はまたそれだけその存在に権威をもつ。だが学問上に充分な意味がなく、実際上にそれだけの価値のないものを、そのまま肯定《こうてい》しておくことは、学問的良心の承認できないところである。ましていわんや知らず識《し》らずの間に、幾多の誤解と弊害《へいがい》を発生させているにおいてをや。

徳育と知育とを別途《べっと》により行うことができるかのように思わせ、体育と知徳両育とを対立して施し得《う》るかのように迷わせ、これに従う無理で偏《かたよ》った手段が現出され、結局かえって教育の目的達成の障害《しょうがい》となりつつあることを私は黙視《もくし》できないのである」（前掲『創価教育学体系』Ⅰ、一一九〜一二〇頁）。

「従来ややもすれば、明治維新《いしん》以後の教育は、知育に急なるがために徳育不振に陥《おちい》った、という。これはまだゆるせるとしても、知育が盛んであるせいで徳育が衰えたとか、昔は徳育が盛んであったが、明治の新教育が発達した結果、知育ばかりに骨折って、徳育が一向に顧《かえり》みられないとかと、あらわに言わなくても、知育と徳育とが相対峙《あいたいじ》し、一方が盛んであるために、他方が行われず、他方が不振に陥るのは、すなわち一方のみを骨折る結果というように、意識するか無意識かは別として、一般にこのような謬論《びゅうろん》に陥っていて、真相の捕捉《ほそく》を誤り、したがって、正当に因果の関係をみることができずに、思想上の混乱を来《きた》すことになる」（同、一二〇～一二一頁）。

U子さん――

教育勅語《ちょくご》が叩《たた》き込まれ、修身《しゅうしん》（道徳教育）が盛んで、今からみれば徳育過剰《かじょう》とおもえる当時にあっても、このように「知育偏重《へんちょう》・徳育軽視」と言われていたのです。まして現在は当時以上にこのスローガンが盛んに唱《とな》えられ、「徳育重視」が叫《さけ》ばれています。教育基本法改正の提唱《ていしょう》も、こうした発想から生まれたものの一つです。

だから、なぜ牧口が、こうしたイデオロギーに反対したのか、今みておく必要が大いにあります。

彼が知育と徳育との関係を「根幹《こんかん》と枝葉《しよう》のように」（同、一二〇頁）とらえるべきである、と提言する根拠は、先にみた、牧口らしい善の価値の規定、人間は連帯して生きているという認識なのです。徳育とは、このことを子どもにわかりやすく具体的に、詳細《しょうさい》に教えることなのです。だから徳育は知育の一部・枝葉であり、しかも質的には相当高度な知育を施《ほどこ》さなければならないものなのです。

「知育をしないで、徳育ができるか。知育徳育対立の思想は、この両者を全く別異の作用と考えた不合理から生まれる。徳育の一部分をなす道徳的知識の養成は、知育の理法に従うことにおいて、知育と異《こと》なるところがないからである。徳育を含まない知育はあるが、知育を含まない徳育は成立しない。それは体育と知育との関係とは違う。体育と知育との関係は、両者相互に相包含《あいほうがん》しないでは成立しない関係がある。両者は一体両面の関係だが、知育と徳育とは全体と一部分で、しかも発生に前後の関係の差があるのみである。

体育的に知育し、知育的に体育し、少なくとも両者が相背反妨害《あいはいはんぼうがい》しない程度・方法に、教育しようとするのが三並行《へいこう》の不合理を捨てた、新主張二育並行論の要旨《ようし》である」（同、一二三〜一二四頁）。

「このように考えると、従来の三育併立《へいりつ》の概念を放棄《ほうき》して、次のような系統的分類を行うことが合理的と信ずる。それはすなわち身心両育の幹枝《かんし》的系統を主とする分類である。

一、身体的活動＝体育＝行動訓練 ⎫
　　　　　　　　　　　　　　　⎬ 知行合致《ちぎょう》 ⎫ 利育
二、精神的活動＝知育＝価値意識 ⎭　　　　　　　　　⎬ 徳育 ⎫ 価値教育即《すなわ》ち創造
　　　　　　　　　　　　　　　　　　　　　　　　　⎭ 美育 ⎭

①価値を主観的に表現した、幸福の根底である健康を目的としての体育

②健康の基礎の上にする知育と、体育と併行《へいこう》し価値創造の基礎として造化《ぞうか》（社会を含む）の本質を理解させるものとしての知育

③教育が価値観から考える順序は、前記のごとくであるが、実際においては、身心両面を具備《ぐび》しての、出生と同時に体育と知育とは、並行《へいこう》して始まるわけである。

そしてこの時には、未価値的の教育は始まらないが、利育と美育との心の作用は始まっていることから、混沌《こんとん》たる知育も、これだけには分析されるべきであるが、徳育は、社会生活を始めるにおいて初めて意識的に施《ほどこ》されるべきものと信じる。

この意味からして左のように系統的に行うことが適当である。

体育―体育―体育
知育｛利育―利育／―徳育―徳育／美育―美育｛知　育｝｝価値創造教育

」（同、一二二～一二三頁）

U子さん――

牧口が、このように「徳育は、社会生活を始めるにおいて初めて意識的に施されるべきものと信じる」と言うのは、繰り返しますが徳育＝善の価値の認識と創造は、人間の連帯《れんたい》関係＝社会のおかげで生かされていることの認識と、この認識の上に立った社会貢献《こうけん》のことだからです。そして、「知育はその価値的目的から、右図のように利育・徳育・美育の三育に区分される」のは（同、一二四頁）、申すまでもなく、彼の価値論が利・善・美の三価値論であることに照応します。

利育こそ知育の基盤

U子さん——

「利育なんて……」

という声が聞こえてきそうです。利とは悪徳的なもの、少なくとも必要悪的なもの、という観念が昔も今も優勢です。その利の教育が徳育に先行するなんて、非常識です。だが、牧口は非常識的な考えをもちました。しかも利育こそ最も重要な知育とするのです。それは価値論に利を加えたこと、しかも基盤的な価値としたことに照応します。

「その〔利育徳育美育という〕新三育はおのおの孤立《こりつ》しては、人格の完全を期せられない。必ず並行《へいこう》して行われなければならない。生活上の軽重《けいちょう》をつけるならば、いかに道徳論者からやかましくいわれても、やはり経済的利育に重きをおかなければなるまい。教育上、不道徳の原因は他にあって、利育の重視《じゅうし》にあるのではないことは、後〔第二巻＝価値論〕で詳しく論ずる。利育の重視が不道徳の直接原因ではなくて、〔牧口流の〕徳育の不振ならびに〔現行の〕徳育方法の無知識に、その原因があるというのが私の見解である。

利育が悪いというなら、現代の社会生活において営利に関しないものがあり得《え》ない関係から、国民のほとんど全部が不道徳な人とならねばならないわけだが、そんな馬鹿なことがあろうはずがない。正当なる実業による利得の教育がなんで道徳を害するものか。〝武士は食わねど高楊枝《たかようじ》〟というような算盤勘定《そろばんかんじょう》を卑《いや》しむ風習は、封建《ほうけん》時代における〔知行《ちぎょう》・俸禄《ほうろく》といった〕世襲財産《せしゅうざいさん》制度という生活の保証のあった武士階級のみの道徳であって、今や国民平等、だれもが自立生活を営まなければならない時代に持ち越すべきものではない。それどころか、実業軽視《けいし》、勤労嫌厭《けんえん》の悪風こそ、現今の国状に鑑《かんが》み、大いに撲滅《ぼくめつ》せねばならないものではあるまいか。

以上は徳育軽視を意味するものでは勿論《もちろん》ない。ただ、ややもすれば、いわゆる道学者《どうがくしゃ》、経世家《けいせいか》の中には、利的活動を卑《いや》しむことを武士道の如くに考える者のいる反面、その実非常に重要視していながら、正々堂々とこれ〔利的活動の重要性〕を鼓吹《こすい》することを憚《はばか》るといった態度をとり、価値系統の中にも公然意識されていないほどであるが故に、私はこう主張するのである。

『倉廩《そうりん》実《み》ちて礼節《れいせつ》を知り、衣食《いしょく》足《た》って栄辱《えいじょく》を知る』（管子《かんし》）というように、人間は何よりも先ず自然的生存を遂《と》げなければならない。その上に社会的生存を全《まっと》うすることが必要なのである」（前掲『創価教育学体系』Ⅰ、一二五〜一二六頁）。

そして私利を没却《ぼっきゃく》して公益に尽《つ》くすといった行動をとくとくと説《と》く人の偽善者《ぎぜんしゃ》ぶりを牧口は痛烈に批判します。

「私的生活も充分《じゅうぶん》に遂げられない身で、公共的生活に奔走《ほんそう》するようなことは、生存の最小限度の欲望に、満足することのできる境地に達した、偉人においてのみ許されることで、それ以外の人の場合はおおむね社会の寄生虫《きせいちゅう》とならざるを得《え》ない」（同、一二六頁）。

そして利の価値創造は善の価値創造に通じるという価値論をここでも展開します。

「〔社会的共同生活に〕害さえなければ、利的活動それ自身は、無意識的に社会の幸福に貢献《こうけん》するわけである」（同上）。

U子さん――

美育、したがって美の価値創造も非道徳的なもの、少なくとも贅沢《ぜいたく》なものと道学者、経世家の非難するところですが、牧口は違います。

「美的生活もまた人間の本能に基《もと》づくものであるから、これに応ずるように教育はなされなければならない。これにおいても一面にややもすれば頑固《がんこ》な経世家たちは、徳育に背反《はいはん》するものとし、贅沢物視するのであるが、私はこれに同調しない」（同、一二六〜一二七頁）。

それと同時に牧口は美の価値創造を至上にして脱俗《だつぞく》的なものとみることに対しても批判します。

「創造教育の方法を文学芸術等の独占のように考える一部の教育家に一考を乞《こ》わねばならない。美の創作指導はそれらの諸教科の任務とすることに違いない。しかし人生〔人間の生存・生活〕に関係がある価値という点において一致する経済的産物、また道徳的産物も同様であって、その創造の過程にもなんの違いもない。ただ一方が美的性質と人間が名づけたものに備《そな》わるのに比し他方が実用的性質を備える点が異《こと》なるに過ぎない。

俳優《はいゆう》が自分の身体を材料として演芸《えんげい》を行って、人を感動させるのと、道徳家が自己の身心を犠牲《ぎせい》にして、人を尊敬させるものと、価値の創造の点においてなんの差があろうか。すなわち創作の苦心創造の過程において何ほどの相違が見いだせるか。ただ感覚器官の別によって人間が区別するに過ぎないのではないか。芸術家たちが他の両価値〔利の価値と善の価値〕を功利《こうり》として卑《いや》しむが、自分の方に功利の念が全くないと、どうして立証できるか」（同、一二七～一二八頁）。

創価式知育とその成果

U子さん――

今でも通念である知育偏重《へんちょう》説を牧口常三郎はこれまた痛烈に批判します。

「知育偏重というが果して真実はどうであろう。私は、これに対しては一般の見解と異《こと》なって、知育の偏重の弊《へい》を患《うれ》うるよりは、むしろ反対に知育の偏軽《へんけい》といってよいほどに、その能率があがらないことを慨《なげ》くべきではないか、と思うのである」（前掲『創価教育学体系』Ⅲ、二二五頁）。

「徳育を尊重しようとするために知育の偏軽を前提とすべきではない。逆に、徳育の振興は知育の尊重の基礎の上にのみ実現できる、というのが私の主張である」（同上）。

「なるほど知育偏重の非難があるほどに、時間も労力も多くを今の学校は〔知育に〕消費していることは間違いない。ところで、その実績はどうか。これが知育偏重教育として非難される所以《ゆえん》であって、実は知育の方法の不十分さを表《あらわ》すものであることを意識しなければならない」（同、二三六頁）。

「知育の偏重呼ばわりはただちに徳育の偏軽を思わせるが、これも実態は決して偏軽ではない。先覚者も為政者《いせいしゃ》も何の時代でも非常に徳育を喧《やかま》しくいっているが、惜しいかな徳育の方法を誤ったというよりは、むしろ徳育方法が欠乏する結果、道徳貧弱な国民ができあがっているのである」（同上）。

U子さん――

牧口は、現行の知育が非能率で成果があがらない、と指摘《してき》するだけではなく、実際に正しい、理にかなった知育方法での授業を実践してみせたのです。それにより児童の成績が顕著《けんちょ》に向上しました。この実験的実践は、戸田城聖第二代会長を筆頭《ひっとう》とする、多くの人々の協力と支援のもとで行われました。この「小学校各科指導法実験成績」は前掲

『全集』第八巻の一六～一三頁に収録されていますので、ここに紹介しておきましょう。この実験は、昭和十一（一九三六）年十月から一年間を期して、実際に児童を対象とした授業として行われたものです。科目は国語・書道・算数・地理・工作・唱歌の六教科です。なお、紹介に当たっては『全集』の脚注のお世話になりました。

一、国　語

評価基準

教科書の模範文と同程度の文章の解釈および作文ができること。

日本における一般普通の小学校で使われている文部省編纂《へんさん》の国定教科書『小学読本』の各課の表現する思想内容を理解、鑑賞《かんしょう》させればそれでよい、とする一般教師の目標では満足せず、これではまだ半ばにとどまると私らは思う。さらに進んで思想内容の表現法の知識啓発《けいはつ》、つまり児童自身が思っていることや考えていることを的確《てきかく》に表現する能力を育成することを私らは最重要の目標とする。この目標に到達したかしないかの判定は、〔牧口創案の「文型応用主義」にしたがい〕各課の文章の型体を児童の実際生活に応用して、同型異義《どうけいいぎ》の文章、つまり文章の形態・構造は同じだが、表現される思想内容が異《こと》なる文章を解釈《かいしゃく》し、および創作できるかどうかにあるとした。

〈注〉この文型応用主義とは、例えば「花が咲いた」という基本型を展開して、例えば「校門の脇に植えてある桜の花が今年も美しく咲いた」といった応用文を児童らに作らせる、というもの（熊谷一乗『創価教育学入門』、第三文明社、一九三頁参照）。

成績判定

第二学年より第三学年までの一学級六十五名の児童は、全員が各一課の教授が終わった後、ただちに模範文章と同型異義の文章を一つもしくは二、三作文することができた。

現在の日本の国語教育の行われ方は、読み方と作文とを分離し、両者の関係が有機的でなく、文章の理解、鑑賞、応用の間に系統的な連絡がなく、そのために作文指導に一定の方法がない。作文能力の発揮がはなはだ不十分であった。であるのに、これを怪《あや》しむ者もなく、したがって右記のような好成績は少数の特別優秀な児童に限ると思われている。そのことと比べると右記の成績は著《いちじる》しく優秀な成績だといってよい。文章に表現された内容を理解鑑賞することと、それを表現する方法を理解することとは、同一のものの表と裏の関係であるが、どれか一方を習えば同時に他方も兼《か》ねて習えるものと思い込まれていることが従来の方式の欠陥である。すなわち目的が判明しなかったため、方法も充分に研究されていなかったためであったところ、創価教育法で補《おぎな》ったので、こうした好成績があげられたものと信じる。

なお、こうした成績は大正五（一九一六）年以降、牧口が勤務した東盛・大正・三笠・白金の四小学校における協力者によっても実証されたところである。

二、書　道

評価基準

教師が能筆《のうひつ》であるか否《いな》かにかかわらず、児童が手本をみなくても手本通りに書けるまで練習をして、手本の文字に酷似《こくじ》するほどに書けるようになること。

日本人が常に使っている漢字の数は数千余りで、これを覚えることと同様に書くことも〔特にきれいに書くことは〕はなはだ困難である。〔だから書道教育が行われるのだが〕今、字形と点画《てんかく》とに漢字を二分すると、各文字を組み立てている基本点画は「永」に含まれる八法にほぼ尽《つ》くしている〔いわゆる永字八法《えいじはっぽう》〕。だからこれだけを十分に練習すれば、後は字形の工夫次第《しだい》で手本の文字に酷似する程度まで書けるはずである。ところがそれができないというところに方法上の工夫がいるわけで、これが、はじめのうちは漢字の字形の骨格を教師が書いてやる〔牧口創案の〕「骨書き法」の起こる所以《ゆえん》であったが、今回の実験によって、いまだ完全とはいえないけれども、成績向上の可能性は十分に証明されたといってよい。

成績判定

三年生男子六十二名の一学級において、はなはだ拙劣《せつれつ》な児童は一名もなく、一般の他の学級の普通以上の成績をあげることができた。そして優秀児童の能力を低減させたという事実は認められなかっただけではなく、書道をはじめ他の教科の成績が劣《おと》る児童が大変興味をもって練習したのである。

これは十七年前より東盛・大正・三笠・白金の四小学校において牧口の協力者が実験した成績からも確信するところである。それらにおいては、特に字の下手な教師が、生活がかかっているのでかえって熱心になったためか、字の上手な教師の受持ち児童よりも、はるかに迅速《じんそく》に優良な成績をあげたことは、書道の成績は受持ち教師の書道の巧拙に比例するという従来の通念を裏切って、問題は書道教育の方法如何《いかん》にあることが〔つまり永字八法と骨書き法との組合せを基礎とする教育法の正しさが〕証明されたものと信じる。このことが間違いなければ、小学校六年間を通じて毎週数時間を書道の授業に当《あ》てている労力を大いに削減《さくげん》できることになり、少なくとも半減することができると思う。

三、算　数

評価基準

計算の熟練の程度と応用問題解決力の程度とに区分して考察し、とくに後者について検討した結果、現今の国定教科書各学年配当の程度だけは、とくに思考能力に欠陥のある児童を除いて、一般の児童ができなければならないこと。

算数の国定教科書を使い、ただ応用問題提出の順序を修正し、数量の関係系列の異同によって分類し〔基本的な数の概念《がいねん》をきちんと構成するとともに、とくに推理力の発達を促《うなが》す等同性と差別性を見いだすという観点から、応用問題をその中身や形式の相違により適切に分類すること〕、各種類を単純な基本的関係系列から複雑、変化の程度の段階によって、順次提示し、推理作用〔すでに自分のものになっている判断を前提として、新しい判断を導き出していく思考作用〕を指導することとして、絶えず数の概念の構成上の欠陥、すなわち数の認識法の誤ちを矯正《きょうせい》した。

〈注〉この実験に用いられた方法は戸田第二代会長の『推理式指導算術《すいりしきしどうさんじゅつ》』（聖教新聞社刊『戸田城聖全集』第九巻所収）という昭和五（一九三〇）年六月二十五日発刊以来、版を重《かさ》ねること百二十三版（前掲『三代会長年譜』上巻、二〇九・二二〇頁）という超ベストセラーによって提示されたもの。

成績判定

六年生男子六十名の学級において、能力の極めて薄弱な五名の児童を除けば、他はことごとく六学年程度以上の成績をあげた上に、その中の優秀児童は教科書の程度以上の複雑な問題まで回答できた。

わが国の教育界は小学校も中等程度の学校〔現高校にほぼ相当〕も、算数が一番優劣の差異の別れる教科とされ、このことは教科の性質上、どうにもならないと諦《あきら》めている状態である。だから上級学校入学試験も、とくにこの教科の成績に重きをおき、児童生徒の能力の優劣判定の標準教科とされている。だが、二も二十も二百も二千も二万も二億も、その性質において差異はない。とすれば、もし二十以下の基本的数の概念の構成に欠陥がなければ、その他のどのような大量の理解、計算にも差《さ》し支《つか》えないはずである。もしそうとすれば、前記書道の八つの基本点画の組み合わせによって、沢山の文字ができる関係と同様であろう。そこでこの指導法が講《こう》じられたならば、あとの応用問題の指導は、国語授業における文章型体の指導と同様にならねばなるまい。というのは、算数における応用問題の解答力の多少は文章型体の解釈力に外《ほか》ならないのであって、作文の指導法における同類文型の解釈および創作の道程は、その実、算数の応用問題の解釈道程にも通用すべきものである。であれば、書道指導を基本点画と文字の形とに区別したように、算数の応用問題の数字を簡単化することと、数の関係系列の異同を分類することの指導に重きをおくことによって、右の成績をあげられたことは、少しも不思議ではない。もし、この指導方法が広く採用されるようになれば、少なくとも半分の歳月《さいげつ》で指導できると信じる。

四、地　理

評価基準

国定教科書『小学地理』に提示されている内容をよく理解し、所期の目的である国民としての社会的生活の意義を明確にさせるためには、教科書記載の事項の地理的分布を、地図上に表現できると共に、日常生活における生活対象〔衣食住やその他の生活用品等〕の価値判定を正確に行う力をもっていること。

日本という国際的生活の一単位の中に生存している故に、我々国民は生命財産の擁護《ようご》を受け、幸福な生活を遂《と》げつつあることを意識させ、そのことが無意識であるために孤立し、盲動《もうどう》し、自他全体ともに不幸に陥《おちい》るという弊害《へいがい》を除き、積極的貢献《こうけん》の社会的生活〔自他ともども幸福へ積極的に貢献してゆく社会性に満ちた生活〕にまで導こうとして、社会の空間的連帯性を生活対象によって説明しようとするのが地理教科の使命であると思う。だから、その目的達成の指導法としては、所定の教科書の理解と応用に遺漏《いろう》がないことを必要とする。この両目的のためには、何よりも先ず、郷土と名づける身近な生活環境の直観を指導して、家庭・学校・町村等の小団体における内外の生活関係を認識し評価し、それを基礎として国ならびに世界という大団体の生活関係を理解させ、その結果を再び身近な日常の社会生活に応用して、生活法を更新して行くようにしなければならない。ところが従来の指導法においては、いたずらに羅列《られつ》的記載《きさい》事項を暗記させるだけであるから、児童生徒の最も嫌《きら》う面白みのない教科となっているのを見るに忍びず、全体的改良を企《くわだ》てたのが本指導法の趣旨である。

〈注〉この実験は牧口初代会長の最初の大著『人生地理学』（明治三十六年＝一九〇三年十月十五日初版発刊）等で提示された方法による。

成績判定

五年生から六年生に進んだ女子六十名の一学級の地理科だけの補助として受け持ち、全員の児童に前記基準の成績をあげさせ、他級および付近の他学校の同科の成績と比べて著しい特色を示したとして付近の荏原《えばら》区〔現・東京都品川区の一部〕内の驚異と評判されるまでに至った。

これは十七年前、牧口が大正小学校長時代に、沢柳政太郎〔旧制の中学校・高等学校・高等師範学校の校長、文部次官、東北帝国大学・京都帝国大学の総長を歴任し、後に自《みずか》らの教育理念に基づく成城小学校＝現成城学園を設立した人物〕の主宰《しゅさい》する「教育教授研究会」のもとめに応じて、牧口が同校で実地授業によって発表し、参列の教育学者及び実際家の批評を仰《あお》いだところ、沢柳は「十数年間、全国の多くの学校を参観したが、いまだかつてこれほどの会心《かいしん》の授業を観《み》たことがない」と激賞したことが当時の雑誌『普通教育』（大正七年＝一九一八年六月号）に掲載されたのと呼応《こおう》して、本指導法の価値を証明することができると信じる。当時沢柳は「こうした素晴らしい授業ができるのは牧口の地理学研究が深いからだ」と断定して青年教師を督励《とくれい》する材料とした。これは一応の真理かもしれないが、牧口自身は自分の地理学の学識よりも自分の教育方法が原因だと思う、といって再考を促《うなが》したところ、賛同を博《はく》したことを記憶している。

五、工　作

評価基準

有目的の計画的生活は、すなわち価値創造作業である。それに必要な物資材料の性質に応じ、またはそれを利用して創価作業を実行させるためには、浅くても広く、各種材料に応じた創造能力を養うとともに、狭くても深く、得意な一材料に応じて、熟練を積むことによって職業決定の基礎とさせる必要がある。そこで本教科においては、この両方面の指導を行い、一般の学級ないし学校と比べて、どれほど改良進歩の成績をあげることができるかを問題にした。

成績判定

麻布高等小学校〔現在の中学校一〜二年にほぼ相当〕の第一、第二学年工作専修の児童約二百五十名〔一学級約五十名の計十学級の児童が商業コースと工作コースとに分かれて学習する制度だった〕の全員が、一様に器械製作用の平面図および断面図を見事に製作したほか、おのおの得意な一、二種の模型品もしくは実用品を製作して父母を驚喜《きょうき》させた。その中の優秀な作品は、この種の中等学校〔現在の工業高校にほぼ相当〕程度の成績品に仕上げて、参観者を驚嘆《きょうたん》させた。さらに、東京市中の高等小学校の工作成績品展示会において最優秀との賞賛《しょうさん》をも得《え》たという。

六、唱　歌

唱歌が音声を材料として組み立てた製作品であることにおいては、他の材料を組み立てた他教科の創作と性質において違いはない。であれば、書道における「永」字八法の基本点画を応用して一切の漢字を作るように、唱歌においても基本音程の練習を十分に行い、その表現法を会得《えとく》して、それをあらゆる歌曲に応用することによって、東京市内の他の小学校ではみることができないほどの成績の実験証明を行ったのである。

U子さん――

こういう教育法を採《と》ることによって、短時間に素晴らしい成績を実証したことから、牧口は、小学校から大学に至るまでの**半日学校制**を提案しました。『創価教育学体系』第三巻第十章「半日学校制度論」です（前掲文庫本Ⅲ、二四五～二七五頁）。知育の能率が飛躍的に向上するので、学校での授業時間は半減でき、浮いた半分の時間を社会の実際に直接接する等、授業以外での有益な学習に活用するのです。彼は要約して言います。「実際生活をなしつつ学習生活をなすこと、すなわち学習生活をなしつつ実際生活もなすことであって、学習生活と実際生活を並行するか、そうでなければ学習生活中で実際生活も、実際生活の中で学習生活をも行わせつつ、一生を通じ、修養を努《つと》めさせるように仕向《しむ》ける意味である」（同上、二五〇頁）。

これも、実証に裏付けられた創価教育論のいま一つの特色なのです。さらにいえば、引用文から明らかなように、日本でも最近注目されてきている生涯学習を、当時すでに牧口は提案していたのです。

●終　章●

創価学会と宗門

役割論からみた出家と在家

U子さん――

仏教諸派の中の大乗《だいじょう》仏教は、本質的には在家《ざいけ》宗教です。なのに出家・僧侶という特別な専業宗教家・職業的宗教家がなぜ存在するのでしょう。出家という制度が生まれ、今日まで存続している歴史的経緯《けいい》は今はさておき、その存在理由は何かを役割論的観点から問うてみたいのです。それが存在理由を最もわかりやすく説明できるからです。

在家信者は、生活のために働かなければならず、だから宗教活動――自分に対する折伏《しゃくぶく》である教学と他者に対する教学である折伏とが二本柱でしょう――に専念することはできません。いうなればパートの宗教家にとどまります。そこで自分たち在家に代わって宗教活動に専念できる人が欲しくなります。私の考えではそれが出家です。

そして在家は、宗教活動に専念してくれることの代償として専業宗教家の生活を賄《まかな》います。いわゆる供養《くよう》とか御布施《おふせ》とかいうものを支払う根拠はここにありましょう。出家は在家に生活を賄《まかな》ってもらう。だから生活は質素（「少欲知足《よくすくなくたるをしる》」）でなければなりません。こういう役割分担の関係が在家と出家の関係なのです。ましてや出家が上・在家が下、といった身分的上下関係説には根拠がありません。

やや余談ですが、明治維新に際しての政府主導の宗教改革以来、とくに現在は、多くの出家は肉食妻帯《にくじきさいたい》が許されています。妻帯どころか買春する者も少なくありません。なおいえば、飲酒はほとんどおおっぴらですし、剃髪《ていはつ》していない者も結構《けっこう》多いのです。

「なんで、これで〝出家〟なのか。俗人と同じではないか」

という疑問をかねがね私は持っております。脱俗的で禁欲的な生活を送ってこその出家ではありませんか。別して日蓮正宗《しょうしゅう》の出家に関してそう言いたいのです。

それはまあいいとしましょう。ともかく、右に述べた役割分担的な理由から僧侶は存在が許されるのです。

しかし、U子さん――

これは大乗仏教一般についての話です。ところが創価学会となると事情は決定的に違います。

創価学会には、在家でありながら、多忙な日常生活の合間《あいま》をぬって、しかもボランティアで宗教活動を展開している人がたくさんいます。その典型が婦人部です。婦人部こそ、創価学会運動の全分野における主力なのです。

だから、池田名誉会長は、第二十三回本部幹部会で、こうスピーチしました。

「大聖人〔日蓮〕後の七百年、また仏法三千年の歴史で、だれ人《びと》もできなかった世界広《こう》宣流布《せんるふ》を現実にしたのは、わが創価学会である。

この大偉業をしたのは、有名人でもなければ、学者や博士でもない。いわんや坊主がやったのでもない。すべて無名の庶民がやったのである。

なかんずく毎日毎日、けなげに戦ってこられた婦人部の信心の力である」（平成十年＝一九九八年六月二十日付聖教新聞）。

また、第二十八回本部幹部会での彼のスピーチの中にはこういう発言もあります。

「わが婦人部こそ『国宝の中の国宝なり』と、私は最大に讃嘆《さんたん》申し上げたい。いつも本当にありがとう！」（平成十五年＝二〇〇三年六月十六日付聖教新聞）。

すると、U子さん――

創価学会の壮年部の最大の任務は、婦人部が後顧《こうこ》の憂《うれ》いなく学会活動に邁進《まいしん》できるようにしてあげる〝内助の功〟ではないでしょうか。また実際にそうしている壮年部をみて、私はほとほと感心しています。私にはとてもああはできません。

と同時に、私は婦人部に対して機会あるごとにお願いしていることがあります。

昔から、「女は生まれた時から女だが、男は死ぬまで子どもなのだ」といいます。したがって男は一生、母の慈愛が必要なのです。だから婦人部は壮年部を〝第二未来部〟（未来部とは創価学会の高校生以下の生徒児童の部分組織）と思ってください、と。

U子さん——

こうした婦人部がいるのですから、僧侶という特別な職業的専業宗教家が存在する必要は全然ないのです。

それだけではありません。序章でも書きましたように、日蓮正宗の僧の精神態度と行動様式を知って、

「創価学会には、僧侶は、必要ないどころか、いてはならないのだ」

と思いもし、やがて口にもするようになりました。

邪宗門

U子さん――

創価学会は静岡県所在の大石寺を総本山とする日蓮正宗《しょうしゅう》という宗門と密接な関係にありましたが、今はあからさまに対立しています。だが、創価学会と日蓮正宗との緊張関係は今に始まったことではありません。

U子さん――

まず、教義的なことについて触れてみましょう。戦前においても創価学会思想イコール日蓮正宗ではありませんでした。牧口初代会長は次のように公言しています。

「〔私が〕僧籍《そうせき》を得《え》て寺を所有する事になれば、したがって日蓮正宗の純教義的な形に嵌《は》まった行動しかできません。私の価値創造論をお寺において宣伝説教するわけにはまいりませんので、私はやはり在家の形で日蓮正宗の信仰理念に価値論を採入《とりい》れた処《ところ》に私の価値があるわけで、此処《ここ》に創価教育学会の特異性があるのであります」(『全集』第十巻、一八八頁)。
「創価教育学会其《そ》のものは前に申上《もうしあげ》た通り日蓮正宗の信仰に私の価値創造論を採り入れた処の立派な一個の在家的信仰団体であります」(同上)。
「学会は飽迄《あくまで》も日蓮正宗の信仰を私の価値論と結び付ける処に特異性があるのであります」(同上)。

これで明らかになったことは、「創価教育学会という信仰団体」の信仰とは日蓮正宗そのものではなくて、「創価仏法」とでもいうべきものだということです。誤解のないように断《ことわ》っておきますと、その基調にあるものが日蓮仏法であることはもちろんです。しかも日蓮正宗の宗門、つまり寺側には戦前すでに「創価教育学会に対する誤評《ごひょう》」さえあったのです(前掲『三代会長年譜』上巻、一六三〜一六四頁)。

U子さん――

牧口・戸田二代会長らは、国家権力の弾圧に抗《こう》して日蓮仏法を貫《つらぬ》き通しました。このことに関しては第四章で詳しくみました。ところが肝腎《かんじん》の宗門の方は、権力の弾圧を恐れて、それに迎合《げいごう》し、次々に日蓮仏法に対する背教《はいきょう》行為に走るようになりました。

例えば、昭和十六（一九四一）年八月二十二日、宗門は「御観念文制定ニ関スル件」という院達《いんたつ》を出し、「初座の『法華守護《ほっけしゅご》』の諸天善神《しょてんぜんじん》を『皇国守護《こうこく》』の日月天にする」等、御観念文全般を国家神道迎合《しんとう》の内容に変更しました（同、一四九頁）。

続いて同月二十四日、宗門は「御書刊行ニ関スル件」ならびに「垂迹説《すいじゃく》ニ関スル件」なる院達を出しました。前者は日蓮の「御書は鎌倉時代に述作されたもので、現下の状勢では大聖人の尊皇護国の精神を誤解される恐れがある」という理由で――つまり日蓮の著述内容は国家のイデオロギーと真っ向から対立するので不敬罪《ふけいざい》等の処罰を受けることを恐れて――御書全集の刊行を禁止するというものでした。後者は、日本の仏法では元来「仏本神迹《ぶっぽんしんしゃく》」説、つまり仏が本地《ほんち》で国神は仏が垂迹《すいじゃく》したものという説をとっていたのですが、これが皇国思想と対立するので、今後この説を用いないように指示したものです（同上）。

さらに続いて同年九月二十九日、宗門は通達を出して、日蓮遺文中「日蓮は一閻浮提《いちえんぶだい》第一の聖人なり」等の、これまた不敬罪になりそうな十四項目の削除《さくじょ》を指示しました（同、一五〇頁）。

そして同年十二月八日に太平洋戦争が開戦されると、ただちに同日、時の法主（第六十二世）日恭は訓諭を発し、「この大戦に必勝を期せん」、などと述べ、戦争を翼賛《よくさん》したのです（同、一五二頁）。

U子さん――

日蓮は政治問題、ひいては社会的課題に旺盛に関与したことで有名です。悪政・国難があると時の最高実力者に対して痛烈な批判と打開策の提案を行い続けました。それを「国主諫暁《こくしゅかんぎょう》」といいます。文応元（一二六〇）年七月十六日に鎌倉幕府の最高権力者である北条《ほうじょう》時頼《ときより》に提出した『立正安国論《りっしょうあんこく》』はその代表です。

だから牧口らも当時の政情・戦局をみて、昭和十六（一九四一）年ごろから、宗門挙《あ》げての国主諫暁を主張し続けました（同、一五〇頁・一六四頁・一七〇～一七一頁）。だが宗門は、これまでみたように国主諫暁どころか、いうなれば国主迎合路線にのめりこんでしまっていたのですから、この牧口らの提案は拒否されました（同上）。

U子さん――

後は一瀉千里《いっしゃせんり》です。例えば、翌昭和十七（一九四二）年十月十日、宗門は「神嘗祭《かんなめさい》当日神宮遙拝《ようはい》ニ関スル件」という通達を出して、神嘗祭の意義を宗内に徹底し、檀信徒《だんしんと》に伊勢神宮を遙拝するよう指示する、といった完全な背教行為をなすのです（同、一六三頁）。なお神嘗祭とは十月十七日にその年の新穀《しんこく》で作った神酒《みき》と新饌《しんせん》を伊勢神宮に奉《たてまつ》る祭儀《さいぎ》です。

また例えば、昭和十八（一九四三）年一月十五日、日恭は天皇の伊勢神宮参拝をたたえる祈願文を朗読《ろうどく》しました（同、一六五～一六六頁）。

そして遂《つい》に宗門は神宮の神札を受けることを公的に徹底する方針を固めて、同年六月二十七日、牧口・戸田二代会長ら学会幹部七人を大石寺に呼びつけ、神札を受けるように申し渡すのです（同、一七〇頁）。もちろん彼らは断乎《だんこ》拒否しました。

とうとう牧口・戸田二代会長が逮捕されました。昭和十八年七月六日のことです。

これに対して宗門は両人らに対し、大石寺への「登山止め」処分と末寺への参詣《さんけい》禁止処分を下しました（同、一七二頁）。さらには牧口を「信徒除名」処分にしました（秋谷栄之助編『旭日の創価学会70年』第三文明社、二四七頁）。宗門にまで弾圧が及《およ》ぶことを恐れたからです。

その上、宗門から二人の僧侶が牧口の留守宅を訪れ、彼が持説《じせつ》をまげて国家権力に屈伏《くっぷく》するよう家族から勧《すす》めてくれ、とまで言ったのです（前掲『三代会長年譜』上巻、一七二頁）。

U子さん――

戦後、宗門は衰微《すいび》しました。これを物心両面で援護したのが戸田第二代会長です。そのおかげで宗門は息を吹きかえしました。そうした折も折、昭和二十七（一九五二）年四月二十七日に、戦前、宗門本体以上に背教的《はいきょう》な言動をとった――例えば「仏本神迹《ぶっぽんしんしゃく》」説とは正反対の「神本仏迹」説を唱道した――小笠原慈聞を創価学会青年部が糾弾《きゅうだん》するという、通称「狸祭り事件」が起こりました。非は全く小笠原の方にありました。

ところが宗門側の反応は逆でした。同年五月十三日に、戸田に対し始末書の提出を求めたのです（同、三一八頁）。さらに宗門の宗会は六月二十八日に、彼に対する処分を議決しました。その骨子は①謝罪文の提出②大講頭罷免《ひめん》③「登山」停止です（同、三二一頁）。さすがに宗門執行部はそこまで厳しい処分を実施することはできず、謝罪文の提出のみの処分とし、七月三十日に彼は「詫《わ》び状《じょう》」を認《したた》めました（同、三二四頁）。

U子さん――

こうした緊張関係は創価学会運動が隆盛《りゅうせい》するにつれて深刻化していきます。宗門は在家と出家の関係を身分的上下関係でとらえてきています。まるで出家が貴族・在家は下人扱《げにんあつか》いをしてきています。これは「日蓮今生《こんじょう》には貧窮下賤《びんぐげせん》の者と生れ旃陀羅《せんだら》が家より出《いで》たり」（前掲『御書』、九五八頁）という日蓮の発想と正反対です。これは有名な「佐渡御書」（文永九年＝一二七二年三月二十日付）の一節です。なお旃陀羅とはインドのいわゆるカースト制において最《もっと》も賤《いや》しいとされた不可触民《ふかしょくみん》のことです。日蓮の出身は実際にはそうした下級身分ではありません。それでもなお彼は自分の非貴族性を、だから精神態度の反貴族性を明確に伝えるため、こう弟子檀那《だんな》らに書いてやったのです。なおいえば日蓮は「王は民を親《おや》とし」と（同、一五五四頁）、先にも引用した上野殿宛《あ》ての書簡で書いています。普通は〝民は王を親とし〟ですから、全然逆の発想なのです。だから僧侶の貴族化は全く日蓮の精神に反します。また、宗門は教義の解釈権も出家＝宗門が独占しようとしました。こうした欲望は日蓮には毛《け》ほどもありませんでした。

要するに宗門は、戦前も戦後も背教者集団なのです。したがって創価学会が隆盛するほどに学会をなんとか宗門の膝下《しっか》に組み伏せようとしました。

その最たるものが、昭和五十四（一九七九）年四月二十四日の「池田勇退《ゆうたい》」、つまり宗門からの理不尽《りふじん》な攻撃によって池田大作氏が創価学会会長職を辞任し名誉会長に〝勇退〟した事件を頂点とする、いわゆる第一次宗門問題です。

U子さん――

実をいうと、この池田氏に対する処遇《しょぐう》を〝勇退〟と表現することに私は大変な抵抗感があります。なにが勇退ですか。事態を直視すれば、高級幹部をはじめとする創価学会員が師匠である池田氏を守れなかったということです。〝勇退〟とは、こうした弟子としての罪の痛みを感じなくさせる麻酔薬《ますいやく》的表現ではないでしょうか。

戸田第二代会長は牧口初代会長の身盾《みたて》となって闘《たたか》いました。池田氏も戸田第二代会長の身盾となって闘いました。ところが池田氏の弟子たちはどうでしょう。身盾となるどころか、氏と行動を共にし、宗門との縁《えん》を切る人が出なかったではありませんか。

反対に、宗門を切り捨てるだけの力量《りきりょう》がなかった当時の学会員の、氏は身盾となって――つまり右記の歴史とは逆に師匠が弟子の身盾となって――闘ったのです。氏の当時の心境は聖教新聞社刊『グラフSGI』平成十五（二〇〇三）年五月号の一六頁にみえます（原文は『随筆　新・人間革命』80「昭和五四年五月三日」）。

力量がなかった、とはどういうことかと申しますと、要するに、一つには宗門・僧侶がそんなにも悪人だとは思えなかったこと、二つには従来の慣習として葬式などの法事《ほうじ》には僧が不可欠だと思い込んでいたことです。

そこで、どこから見ても宗門・僧侶は悪人であることが明々白々《めいめいはくはく》になるまで、また、元来僧侶は葬式を執行しなかったことを（正規の僧侶は特別の場合を除き一般的には、とくに庶民の場合は葬式と無関係だったのが、中世以降仏式葬儀が行われるようになり、とくに江戸時代の檀家《だんか》制度の創設でそれが定着して今日に至ったということを）知るまで、なおいえば創価学会とはあくまで在家信仰集団であることを学会員が明確に自覚するまで、池田氏は宗門の攻撃を一身で受けとめてきたのです。

U子さん――

とうとう第二次宗門問題が起きました。その極点が平成三（一九九一）年十一月七日の創価学会に対する解散勧告書、同月二十八日の創価学会に対する破門通告書の送付です。今度は創価学会は宗門に妥協《だきょう》せず、宗門と断乎《だんこ》闘いました。そして平成十四（二〇〇二）年四月一日に会則を改正して、公式にも宗門と絶縁《ぜつえん》したのです。

U子さん――

私は「どこからみても宗門・僧侶は悪人だ」と申しました。その事実は聖教新聞や創価新報などが詳《くわ》しく報道しているところですが、私は、ここでは二つの事件を取り上げて、その邪教《じゃきょう》ぶりを紹介しようと思います。一つはいわゆる「シアトル事件」、二つ目は遺骨《いこつ》大量不法投棄《とうき》事件です。

U子さん――

日蓮正宗の現在の法主日顕が教学部長時代、昭和三十八（一九六三）年三月に「海外出張御授戒」のため渡米した際に、二十日シアトルで、なんと出家たる身でこともあろうに売春婦と金銭上のトラブルを起こしました。そのことを創価学会が報道したところ、宗門は名誉毀損《きそん》であるとして、平成五（一九九三）年十二月二十五日に東京地方裁判所に提訴《ていそ》しました。

しかし、東京地裁は、創価学会が報道したことは真実であると判断し、宗門側全面敗《はい》訴《そ》の判決を平成十二（二〇〇〇）年三月二十一日に下したのです。これを不服として宗門は東京高等裁判所に控訴《こうそ》しました。

東京高裁は両者の和解を勧告し、それに従って宗門は控訴を取り下げ、この裁判沙汰《ざた》は平成十四（二〇〇二）年一月三十一日に終結しました。

U子さん――

これを宗門側は実質勝訴《しょうそ》と言ったりしました。だが、それは間違いです。形式上和解で実質宗門側の勝訴だとすれば、創価学会側が遺憾《いかん》の意を表し、さらには応分《おうぶん》の解決金を払う等のことがなければなりません。ところが学会側は全然そんなことをしなかったばかりではなく、千四百万円の訴訟《そしょう》費用も宗門が全額支払ったのです。そして、なんといっても提訴した宗門側が控訴を取り下《さ》げたのですから、東京地裁の下《くだ》した「シアトル事件」を真実と認める判決はそのまま生き残っているのです。以上、実質勝訴したのは学会側です。

U子さん――

私は個人的な関係と仕事上の関係の両面で仏教諸宗派との付き合いがあります。例えば浄土真宗（東西両本願寺派）、真言宗、禅宗の臨済宗《りんざいしゅう》などです。こうした諸宗派の僧侶と比べると日蓮正宗の僧侶たちはけた違《ちが》いに悪いのです。その端的《たんてき》な例が遺骨大量不法投棄事件です。こんなことは他宗派ではありえません。

宗門の総本山である大石寺は『合葬《がっそう》』として預《あず》かった遺骨を、他人の遺骨と交《ま》ぜたうえ、使用済みの米袋《こめぶくろ》に無造作《むぞうさ》に詰《つ》め込んでいました。その保管状況もひどく、長年の湿気や重みで米袋が破れて骨がむき出しになったり、床に散乱《さんらん》したまま放置《ほうち》されたという始末《しまつ》でした。さらに、〔昭和五十四年＝一九七九年九月下旬ごろ〕遺骨を詰めた米袋のうち一五〇から二〇〇袋を大石寺境内《けいだい》の空《あ》き地に穴《あな》を掘り、ゴミ同然に捨てていたというのです」（平成十五年＝二〇〇三年五月五日付聖教新聞）。

そこで遺族のうち四人が大石寺を相手に損害賠償《そんがいばいしょう》請求《せいきゅう》の訴訟を起こしました。これまた東京高裁での控訴審にまでもつれこみ、平成十五（二〇〇三）年四月八日、東京高裁は寺側全面敗訴の判決を下し、寺側に合計二百万円の慰謝料支払いを命じました。

U子さん――

大石寺の、刑事事件でいうところの犯情も最悪と裁判所が判断したことが、その判決文からも明らかです。判決文はおおよそ次のように判示しました（平成十五年＝二〇〇三年五月七日付創価新報）。

主な宗派の総本山ならびに公営施設における遺骨の合葬・合祀《ごうし》の形態をみると、いずれの施設においても次の特徴が認められる。

①遺骨は、納骨堂塔《のうこつどうとう》の内部や地下の空間において丁重《ていちょう》に納《おさ》められている。

②遺骨が納められている場所に遺族が参拝して故人《こじん》を追善回向《ついぜんえこう》できるような外観・施設を有している。

③納骨者である遺族においても、どこの場所に故人の遺骨が納められているかが分かっており、そこに赴《おもむ》いて故人を追善回向できるようになっている。

「遺骨についてのこのような取扱いこそが国民の宗教的感情に適合し、宗教的慣習ないし社会通念に照らして適切な厳粛《げんしゅく》、丁重な方法であるというべきである」。

ところが大石寺の場合は「遺族の全《まった》く知らない間に、境内の誰でも立ち入《い》れる一画に穴を掘って袋に入った大量の遺骨を埋めて土をかぶせ、その上に数本の杉を植えたというにすぎないものであって、法要《ほうよう》等の慰霊の措置《そち》は何らとられていないし、遺骨が埋葬《まいそう》された場所にふさわしい施設も全く設置《せっち》されていない」。

「要するに、遺骨を境内の一画に投棄したと評価されてもやむをえないものである」。

U子さん――

いかに、宗門が邪宗門であるかが、以上のことから明らかです。だからでしょう……創価学会は日蓮正宗のことを、法主日顕の名をとって〝日顕宗〟と呼んでいます。いやしくも日蓮の名を冠《かん》するにふさわしい宗派ではない、日蓮正宗と呼ぶことは日蓮の名を冒瀆《ぼうとく》するものだ、という心情からなのでしょう。私にはその気持ちがよくわかります。だから本書にあっても〝日顕宗〟と書いたのです。

あとがき――理性的な宗教

U子さん――

宗教というと超理性的、さらには反理性的なものであることが一般ですが、創価学会は、けっこう理性的な宗教団体なのです。これも創価学会の特色の一つです。

二度ほど引用した創価新報の「ハニーのフレッシュ問答」（平成十五年＝二〇〇三年五月七日付）にも次のような対話がありました。

「たとえば、〝みえない世界〟へ行かないと幸福になれないとか言うような宗教がいっぱいあります。

死後の楽園《らくえん》とか霊界《れいかい》とか守護霊《しゅごれい》とか。

でも、だれもが検証《けんしょう》できないところへ人を誘《さそ》い込んでいく宗教は、結局、現実に対する『あきらめ』を説《と》いているようなものでしょう。まして、だれかが『私には見える』とか『私には聞こえる』と言ってしまったが最後、その〝霊能力〟にすがるしかなくなってしまうでしょ。

そうですね。幸福になるのも不幸になるのも相手まかせ。自分の中に仏性《ぶっしょう》を見いだすわれわれの宗教とは根本的に違いますね。

無差別テロで何千人もの被害者を出したカルト教団にしても、デタラメな〝足裏診断〟で何百億円も巻き上げていたインチキ教団にしても、共通しているのは、理性を無視して特別な人間の〝超能力〟を絶対視している点です」。

U子さん――

戸田城聖補訂の牧口常三郎著『価値論』（第三文明社　レグルス文庫）になると、もっと激烈です。

「世間には『神も仏も無い』と言っている人が居《い》る。これに対して我々も権教方便《ごんきょうほうべん》の神や仏は居ないと主張する。即《すなわ》ち神様がこの世を創造し、人間や地球を造った神様が現在どこかに居てこの世を支配しているとか、或《ある》いは西方《さいほう》十万億土に阿弥陀仏《あみだぶつ》が居るとか、何々如来《にょらい》、何々菩薩《ぼさつ》、何々神というような金ピカの神様や仏様が実在している訳《わけ》がないのである。特に我々の生活は肉体と精神の他《ほか》に霊《れい》とか魂《たましい》とか名づけるものがあって、現実の生活を支配したり、死後も天に昇って不滅であるという考えは科学的に実証されないから誤《あやま》りである。故《ゆえ》にこの意味では我々も無神論である」（一七五頁）。

＊　＊　＊

U子さん――

この本は創価学会の何人もの方々との交流がパン種《だね》になって生まれたものです。余りに大勢なので、一々《いちいち》お名前をここでは書きませんが、大変感謝しています。このことをむすびの言葉といたします。

平成十五（二〇〇三）年七月六日

牧口・戸田二代会長逮捕《たいほ》の六十周年記念日に

村尾行一

村尾行一（むらお・こういち）

1934年中国・大連市に生まれる。東京大学農学部卒業、同大学院博士課程修了、ドイツ・ミュンヘン大学経済学部留学、東京大学農学博士。京都大学助手、東京大学助手、ミュンヘン大学客員講師、愛媛大学教授などを経て、現在みどりのコンビナート研究所主宰。牧口常三郎関係の著書に『牧口常三郎の「人生地理学」を読む』『牧口常三郎の「価値論」を読む』『牧口常三郎の「創価教育学」を読む』『柳田國男と牧口常三郎』（以上潮出版社）、『国家主義と闘った牧口常三郎』（第三文明社）がある。その他専門の著作が多数。

外《そと》から見《み》た創《そう》価《か》学会《がっかい》

2003年12月 8 日　初版第 1 刷発行
2007年 5 月31日　初版第 5 刷発行

著　者　村尾《むらお》行一《こういち》
発行者　大島光明
発行所　株式会社　第三文明社
東京都新宿区新宿1—23—5　郵便番号　160-0022
電話番号　編集代表03（5269）7154
営業代表03（5269）7145
振替口座　00150-3-117823
URL　http://www.daisanbunmei.co.jp
印刷・製本　中央精版印刷株式会社

ISBN978-4-476-06191-8